〜東大生が書いた〜
問題を解く力を鍛える ケース問題ノート

50の厳選フレームワークで、どんな難問もスッキリ「地図化」!

東大ケーススタディ研究会 著

東洋経済新報社

はじめに

本書の目的・趣旨

　この本は戦略コンサルティングファーム（以下、戦略コンサル）の新卒選考に出題される「問題解決ケース」の解説書であり、問題集です。

　戦略コンサルの面接対策としてはもちろんですが、問題解決手法に関心のあるビジネスパーソンや学生の方にも、広くお使いいただけると思っています。

　僕たち東大ケーススタディ研究会は、2008年6月に就活仲間を中心に活動を開始。最初は選考対策のため、徐々に完全な趣味として、ケーススタディに関するディスカッションを繰り返してきました。

　戦略コンサルの新卒選考で問われるケース問題（広義）は、大きく「フェルミ推定」と「問題解決ケース」に分かれます。「フェルミ推定」とは、「日本に牛は何頭いるか」「長野県にそば屋は何軒あるか」といった荒唐無稽な数を算出する問題です。一方、「問題解決ケース」とは、「スターバックスの売上を上げるには」「ケニアへの日本人観光客を増やすには」「寝坊を防ぐには」といったビジネス・社会一般・日常生活における問題への打ち手を考えるものです。いずれも、合理的な仮定とロジックを駆使して、短時間にリサーチなしでシミュレーションする点で共通しています。

　幸運にも研究の成果を発表する機会をいただき、当初は両方を1冊に組み込む予定でしたが、問題解決ケースのあまりの守備範囲の広さとカオスさを前にし、よりシンプルなフェルミ推定にまずはフォーカスすることにしました。それが、前著『現役東大生が書いた　地頭を鍛えるフェルミ推定ノート』（東洋経済新報社）にあたります。

　その後も、研究会では内定した初期メンバーに新年度の就活生を加え、活発な議論を続けていきました。そして、活動開始から2年、ついにアウ

トプットとして結実したのが本書です。数十回の研究会と数百問のトレーニングによる「修行」(?)を通して、独学の試行錯誤を重ねてきた僕たちの暗黙知を言語化し、統合したといえるかもしれません。

周囲の学生を見て気付いたのは、「座学」と「実戦」には励むものの、「素振り」を日常的にこなしている人は少ないということです。日ごろから本を読んでロジカルシンキングを学び(「座学」)、選考やインターン(「実戦」)を繰り返しているものの、その間を結ぶ知識の「素振り」としてのケーススタディの訓練はどうも軽視されているようなのです。多くの就活生たちはフレームワークなどの「剣」で論理武装しているようですが、「試し切り」不足で、戦場に臨んでいるようです。それは、一般に問題解決ケースを解く能力は、選考前の数カ月だけで追いこみで身につければ十分な一種の「スキル」と思われているためでしょう。

対して僕たちは、問題解決ケースを解く能力こそ、あらゆる問題をシステマティックに処理する「OS」だととらえています。OSは汎用性が高いので、選考前だけではなく、一流スポーツ選手のような日々の「素振り」を通じて一刻も早くインストールすることが肝要だと信じています。

本書の構成

以下、本書の内容をざっくり見ていきましょう。

まずPART 1ではまず問題解決ケースを3つのジャンルに区分して説明しています。ここでは、この問題の分類は解答において適切な手段を探る手助けとなります。次に「東京の朝の電車の通勤ラッシュを軽減するには」という問題を例にとりながら、ほとんどすべてのケースに対応できる5つのステップからなる問題解決手法を詳しく解説しています。ここは後々のケースを解くにあたって、すべての基本となるところです。

さらに、実際の面接経験をもとに、「新幹線の中のコーヒーの売上を上げるには」という問題を選考風に説明しています。面接官とのキャッチボールを通じて、最終的な結論に収束していくイメージがつかめるかと思います。

PART 2では、例題としてProject 9問、それと対応した練習としてCase 9問をつけておきました。「前提確認」を読んだら、解答はすぐに見ずに、ぜひ紙とペンを使って解いてみてください。

　問題解決ケースには当然ながら「正解」はありません。代わりに、「プロセス」の論理的整合性が重視されます。また、ケースという時間制約のある「思考実験」の特性上、どれもリサーチを抑え目にし、「仮説ベース」の展開を基本としています。また当然ながら、僕たちは各分野のプロではありませんので、数多くの「領空侵犯」を犯しています。したがって、知識や現場感覚の欠如に起因する間違い、いわば「ツッコミ待ち」の箇所が数多くあるかと思いますが、ご叱正をいただければ幸いです。

　しかし、「英単語」をすべて知らなくとも「文法」さえわかれば「英文」はある程度読めるように、専門知識を知らなくとも基本動作さえつかめば、なんとか問題と闘うことはできるのです。その「OS」の汎用性の威力を感じていただければと思います。

　さらに、「厳選フレームワーク50」と題し、経験的によく使う「武器」をまとめておきました。これは本書の大きなウリの1つです。

　ビジネス書では見られないフレームも多く含まれていますが、それはビジネスのみならず、社会問題や日常の問題にも適用可能な一般性の高いフレームを僕たちが独自に発見・開発したためです。50の「武器」が「素振り」によって使いこなせるようになれば、ほとんどの問題を数枚の「地図」に落とし、構造化できるようになるでしょう。

　さらに訓練されたい方は、ぜひ付録の「問題解決ケース210選」の中から美味しそうな素材を選んで、挑戦してみてください。問題解決のOSが「シミュレーション」の繰り返しを通じて洗練され、「自動操縦化」されるようになってくるでしょう。

　本書で問題解決ケースという自由な「思考実験」の魅力を感じていただき、日々の問題解決の訓練に活かしていただければ幸いです。

目次　東大生が書いた 問題を解く力を鍛えるケース問題ノート

はじめに　001

PART1　どんな問題もすらすら解ける！問題解決ケースの3ジャンル・5ステップ　005

Chapter 1　問題解決ケースの3ジャンル　……006
Chapter 2　問題解決ケースの5ステップ　……009
Chapter 3　実際の面接における5ステップ　……029
Column 1　「地図化」は「ルービックキューブ」の要領で　……039

PART2　9パターンのコア問題で、問題を解く力を効率的に鍛える！　041

Privateケース：Project1、Project2、Project3　……042
Column 2　ケースのストックのすすめ　……062
Publicケース：Project4、Project5、Project6　……063
Column 3　ケーススタディは4次元宇宙？　……080
個人ケース：Project7、Project8、Project9　……081

おわりに　098

＋9問でワンランク上の問題を解く力を身につける！　Case問題解答　101

厳選フレームワーク50　　155
問題解決ケース210選　　157

カバー・本文デザイン　dig

PART 1

どんな問題もすらすら解ける！
問題解決ケースの3ジャンル・5ステップ

PART1では、問題解決ケースの3ジャンルと、あらゆる問題を解くときに使える汎用的な5ステップを解説します。天才的な「ぶっとんだ」解決策を瞬時に思いつける人以外、問題を解く際には、何はともあれ問題を数枚の「地図」に落とし込まねばなりません。そうすることで、「思い込み」や「即断」を排除した、俯瞰的な見方ができるからです。問題を地図に落とし込むためのOSの魅力を感じていただければと思います。

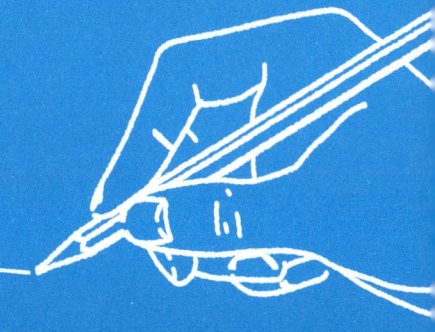

Chapter 1 問題解決ケースの3ジャンル

　さて、問題解決ケースの解法に入る前に、まず問題解決ケースとは何かを簡単に確認しておきましょう。

　問題解決ケースとは、「与えられた状況に対し、前提を設定し、知っている知識だけをもとに合理的な仮定とロジックを駆使して、構造化して分析し、打ち手を提案する短時間のシミュレーション」のことを指します。

　すなわち「タクシーの1日の売上を上げるには」「日本のオリンピックメダル獲得数を増やすには」「寝坊を防ぐには」といった、ビジネス、社会一般、日常のあらゆる問題に対して、自分なりの最善解を創り上げていく知的プロセスのことを指します。

　あまりに範囲が広く捉えどころがないと思われがちですが、問題解決ケースには実は3つのジャンルがあります。以下、順序立てて、分類していきましょう。

　まず、問題解決ケースは問題解決の 目的 で分類することができます。目的は 集団の効用 と 個人の効用 に分けられます。

　集団の効用 ケースはさらに カネ という金銭的価値（利益）を追求する Privateケース と カネ以外 の非金銭的価値（公益）を追求する Publicケース に分けられます。営利・非営利といってもよいでしょう。

　Private ケースの例として、「マクドナルドの売上を上げるには」「ホノルルマラソンの日本人参加者を増やすには」といったビジネス関係のケースが多く挙げられます。これはいわゆる 経営戦略 といってもよいものです。

　Public ケースの例には、「花粉症患者を減らすには」「交通事故を減らすには」「地球温暖化を解決するには」といった政府や自治体などの公

共機関による「公共政策」や、「年間献血量を増やすには」「夏祭りのにぎわいを上げるには」といったNPO、サークル、町内会などによる「運営戦略」が含まれます。

「個人の効用」ケースは、「睡眠を改善するには」「ボーリングのスコアを上げるには」「ランニングを続けるには」といった個人の金銭的・非金銭的価値の追求に関する問題解決が相当します。平たくいえば「自分の自分による自分のための問題解決」であり、日常の「個人的意思決定」を指しています。

これらを図にすると、以下のようになります。

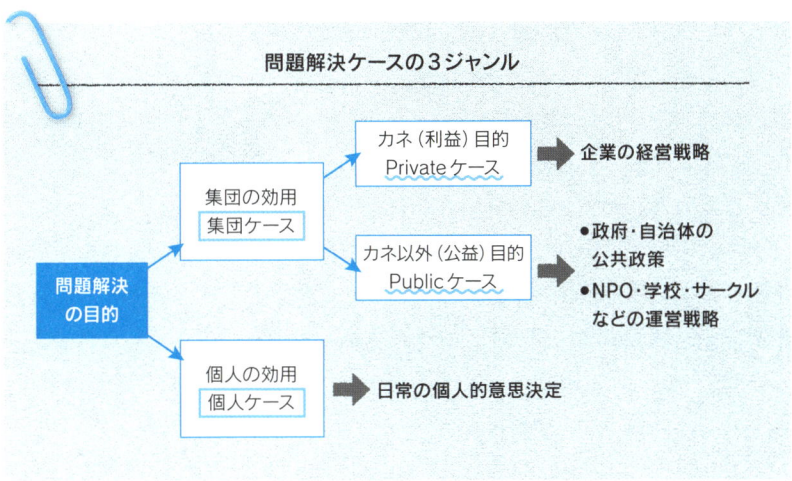

問題解決ケースの3ジャンル

かつては、これらは「経営戦略」の理論書、「公共政策」の理論書、NPO運営の理論書、自己啓発本・ビジネス書などといった異なる媒体に細分化されてバラバラに説明されることがほとんどでした。しかし、これら異種のジャンルは、すべて問題解決手法という同一のプロセスでシステマティックに処理することができます。ここに問題解決手法という汎用性の高いOSをインストールする意義があります（問題解決手法の5ステップについてはChapter 2で扱います）。

解法プロセスが同じであるのにジャンル分けするのは、ジャンルごとに使用するフレームワーク（後述）に傾向があるためです。「Privateケース」では、経営戦略やマーケティングで使われるような3C、4P、AIDMAのような「ビジネス系フレーム」が必然的に多くなりますし、「Publicケース」や「個人ケース」では、ストック・フロー、需要・供給、個人・環境などといった社会科学・自然科学一般で広く用いられるような「非ビジネス系フレーム」が多くなってきます。

　なお、例外的ではありますが、かならずしも「Public」ケースの主体は公共機関であるわけではなく、「Private」ケースの主体が企業になるわけではありません。両者が逆になることもあります。
　たとえば「京都への外国人観光客を増やすには」という京都府からの依頼は「公共政策」として、「Public」ケースだと考えたくなります。しかし、観光関連の税収増加を狙った観光ビジネスの振興という「営利目的」としてとらえれば、「Private」のケースに分類されることになります。実際、解き方はビジネス色の強いものになります。
　ケースの分類はそれほど本質的なことではありませんが、分類の一貫性を保つには、問題解決の主体が誰であるかにとらわれず、各ケースの目的を吟味し、臨機応変にフレキシブルに分類していくことが求められます。

Chapter 2 問題解決ケースの5ステップ

さて、いよいよこれらの3つのジャンルを統一的に解く問題解決手法の説明に入っていきましょう。

問題解決手法は5つのステップで成り立っています。

> (ⅰ) 前提確認
> (ⅱ) 現状分析
> (ⅲ) ボトルネック特定
> (ⅳ) 打ち手立案
> (ⅴ) 打ち手評価

以下、「東京の朝の通勤ラッシュを軽減するには」という「Publicケース」を例に、1つずつ解説を進めていきましょう。

(ⅰ) 前提確認

通常、ケース問題の多くは、僕たちが日常生活を送るうえで直面する問題と同じように、厳密な条件設定なくさらっと簡単に与えられることがほとんどです。これでは、あまりに問題が「ふわふわ」して、つかみどころがなく、問題を解くうえでの基盤が得られません。

そこで、主に以下の3つの事項に注意して、問題に枠をはめる必要があります。

すなわち、

> ①語句の定義：あいまいな語句があれば、定義する。

> ②**クライアントの特定**：誰からの相談かによって、打ち手が制限されてくるため、問題解決の当事者を決める
> ③**目標の具体化**：売上増加、被害減少など、特定の指数の増減という形で具体的目標を決める。この際、主に対象エリア、タイムスパン、目標増加率の3点に注意する。
> 　例：「東京における宅配ピザの売上を5年で2倍に」
> 　　　「日本における交通事故件数を10年で3分の1に」

の3点で問題を設定していきます。

これらの条件が最初から与えられることもありますが、多くは自身で適宜定めていかねばなりません。ただし、問題を解く前にあまり自分で枠をキツく縛りすぎると、定めた枠の数値を結局使わなかったりして徒労に終わったり、後々変更しなければならなかったりします。①・②に加え、③の対象エリアだけを定めて、残りのタイムスパンや目標増加率に関してはあまり強く定めず、「遊び」を持たせることが多いです。

これを、「通勤ラッシュ」の問題に適用すると、このようになります。

> **＜前提確認＞**
> 　典型的な都市病の1つといえる電車の通勤ラッシュ。とくに東京の朝は乗車率約200％ともいわれるすし詰め状態であり、この時間は生産的に使われないため社会的なロスであるとともに、就労時の会社員の生産性の低下を招き、さらには痴漢の温床ともなっている(背景の説明：面接官からいわれることが多い)。
> 　東京都からなんとか軽減できないものか、と相談が舞い込んだ。
> 　快適な朝の実現のために、行政と鉄道会社が打てるソリューションを考えよう(②クライアントの特定：行政からの依頼で、鉄道会社も動けるものとしている)。
>
> 　ここで、通勤ラッシュの定義を定めておこう(①語句の定義：需要・供給というフレームを意識)。
> 　メインの通勤時間である「6時半〜8時半の2時間」において、

> 乗客の「需要」数 ＞ 電車が「供給」できる乗客数

となっている状態を「通勤ラッシュ」と呼び、「需要」−「供給」の減少を目標とする(③目標の具体化：エリアは東京、タイムスパンや目標数値はあえて決めていない)。乗車率100％は「需要」＝「供給」が成立しているときといえる。

いかがでしょうか？ ①〜③の条件がどこに対応しているか、確認してみてください。

(ⅱ) 現状分析

前提確認で問題の枠がバシッと設定されたら、次は「現状分析」というステップです。

あたりまえですが、現状を詳しく把握せずして、課題を設定したり、打ち手を作ることはできません。受験勉強では現状の学力を、貯金するには現状のお金の稼ぎ方・使い方を、ダイエットをするには現状の食生活を知らねば、今後の方針は立てられないのと同じです。

この現状分析でキーになってくるのが「地図化」という概念です。この考え方は本書のハイライトというべきものになります。

「地図化」とは、問題を1枚の「地図」に落とす作業です。一般的には「構造化」ともいわれますが、感覚的に理解しやすいように、あえて「地図化」という表現を採用しています。

外国などの見知らぬ土地に行くときには「地図」が必要です。初めての土地に「地図」なしで行くのは無謀な行為だというのは、誰でも納得できるでしょう。

問題解決もしかりです。面接官から突然振られる問題は今まで考えたこともない未知のネタが多いので、考えるための「地図」がいるのです。「地図」さえあれば、たとえ考えるのが初めてであっても、問題を高い視点から俯瞰し、問題の「ツボ」（ボトルネック（後述））を特定することができます。

違う表現でいえば、「地図」は山登りの「鳥瞰図」に相当するかもしれ

ません。「鳥瞰図」なき登山は命知らずな行為です。まずは、「鳥瞰図」を眺め、大まかなルートを決めてから登り始めるように、問題解決という知的作業においても「地図」での全体観の把握が必須となるのです。

初心者が陥りやすいミスとして、実際に「地図」なしで「海外旅行」したり、「山登り」に出かけたりしてしまうことが挙げられます。「通勤ラッシュを減らすには」といわれて、すぐに「電車の発車間隔を短くしよう」とか「バスを増発すればよい」などの打ち手を最初に出してしまうということです。初めから右脳的な想像力に頼っていては、他の有効な打ち手があるかもしれないのに見逃してしまい、ピントの外れた打ち手を提案してしまうことになります。

問題解決においては、初っ端からこのような打ち手ありきの「アイデア大会」を展開するのは禁物になります。何はともあれ、まずは「地図」が必要になってくるのです。

しかし、海外旅行や山登りと違うのは、問題解決においては、その「地図」を自ら作らねばならないということです。今まで「地図」の作り方は、チャート化、マインドマップや図解の技術などさまざまなビジネス書に書かれてきましたが、どれも細かい道具が多すぎて、結局使いこなせないものが多かったような気がします。そこで本書では、シンプルながら極めて強力な「地図」の作り方として、「フレームワーク」を駆使することを提唱します。

「フレームワーク」とは「物事を切り分ける枠組み」です。そして、その多くが基本的にMECE（Mutually Exclusive, Collectively Exhaustiveの略で「モレなくダブリなく」という考え方。ロジカルシンキングの基本。説明は他の本に譲ります）で成り立っています。

具体的には、「ビジネス系フレーム」であれば、3C、4P、AIDMAなど、「非ビジネス系フレーム」であれば、需要・供給、インプット・アウトプット、心・技・体などを指します（詳しくは、「厳選フレームワーク50」を参照）。

なんと、これらのフレームワークを覚えておけば、この組み合わせでサ

クサクと「地図」を作れてしまうのです。以下、本書で出てくるいくつかの「地図」の例を見ていきましょう。

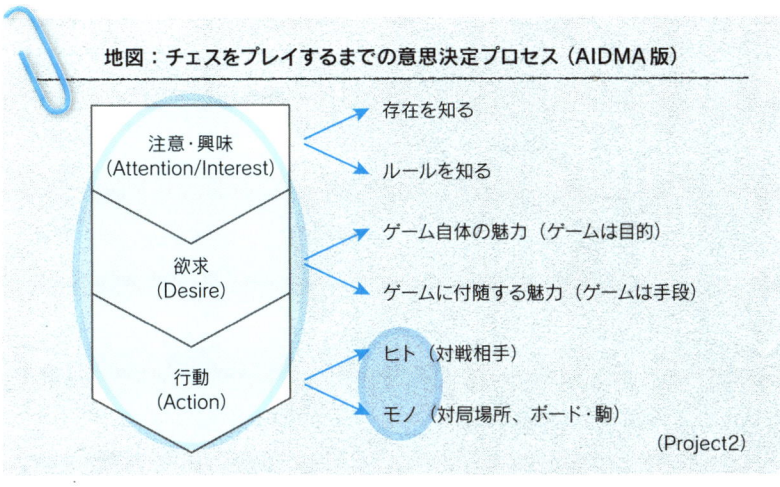

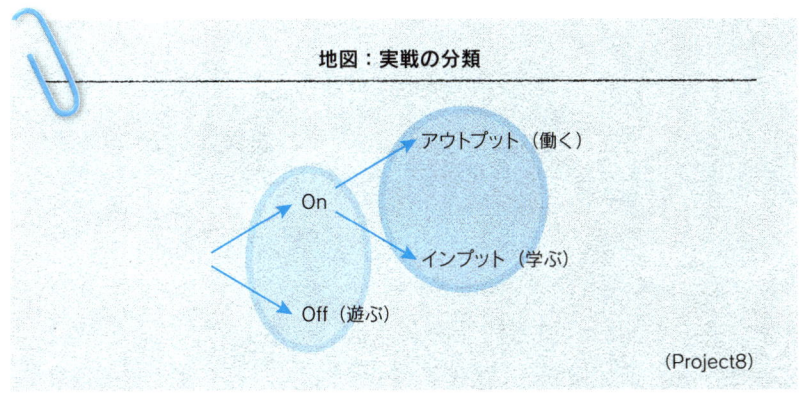

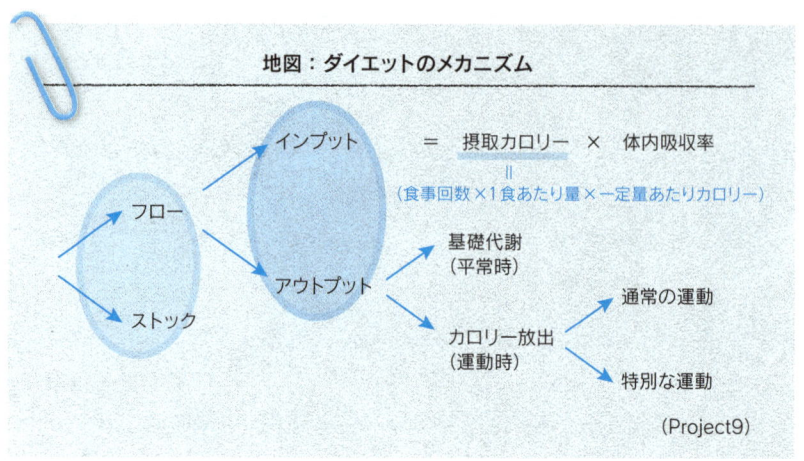

　以上のように、「地図」がどれもフローチャートやMECEで分解したロジックツリーで表されていますが、その中に「厳選フレームワーク50」に載せたものが多く使われていることに注目してください（青い丸で囲ったところ）。

　すなわち、よく使う「フレームワーク」を覚えておけば、ゼロからツリーを作るよりも、「地図」作りの時間が圧倒的に短縮化されるというわけなのです。

　この意味で「フレームワーク」は問題解決において大きな「武器」、たとえていえば、「剣」に相当します。この持てる「剣」で問題をどんどん切って、分解していくというわけです。

　すでに所持している「剣」で切れるところ（青い丸で囲んだ部分）に関しては、用意してきたその「剣」を使ってあまり時間をかけずにサクッと切り、切れないところ（囲んでいない部分）に関しては、即興でMECEになるような「剣」を作って考え、臨機応変に切っていきます。

　かつては、このような「剣」はビジネス系の「剣」（ビジネス系フレーム）のみにスポットがあたってきたようです。すなわち、3C、STP、4Pといった経営戦略やマーケティングの「剣」は、数々の経営書やビジネス書

で紹介され、多くの人が学んできました。今や「フレームワーク帳」のような本も多く出回っているようです。そして、それらはビジネスケース（本書では「Privateケース」）にはたしかに切れ味を発揮します。

しかし、問題解決ケースは公共政策や運営戦略、個人的意思決定といった他のジャンルも網羅したものであるにもかかわらず、今までそれらに合った「剣」は意識されてきませんでした。そこで、「はじめに」でも述べたように、数百問のケースから、僕たちは「非ビジネス系フレーム」という「剣」を独自に発見・開発しました。ビジネス系・非ビジネス系のフレームで最もよく使うものを厳選して、「厳選フレームワーク50」という形で50個選びましたので、ぜひご活用ください。これは、問題解決ケースの「武器庫」に相当します。

学生が試験前に数学や物理の「公式」を頭に叩き込むように、問題解決者は問題解決に臨むにあたり「フレームワーク」を叩き込まねばなりません。「公式」をゼロから導くのは大変なように、「フレーム」をすべて自分で作るのは至難の業であり、すでに定式化された「フレーム」を覚えておくのが「思考のショートカット」となり効率的です。その意味で、「フレームワーク帳」とは、切羽詰まった学生が携帯する、「公式」が多く詰まった「あんちょこ」に相当するといえるかもしれません。

また理解のために、あえて違う表現をすれば、「フレームワーク」は外科医の「メス」ともいえます。外科医がさまざまな「メス」を駆使して人体を解剖し病巣を摘出するように、問題解決者は問題を「フレーム」を駆使して分解し、問題の「ツボ」（ボトルネック）を特定せねばなりません。用途ごとに異なる切れ味を見せる「メス」をできる限り多くそろえ、実戦に備えて試し切りを繰り返し、必要に応じて自由に活用できるようになることが、病巣のスピーディーな摘出のカギとなることでしょう。

やや説明が長くなりましたが、いずれにせよ、「フレームワーク」は「地図」作りの重要なツールとなっていることがおわかりいただけましたでしょうか。それでは、「通勤ラッシュ」の問題を「地図」に落としてみたいと思います。

＜現状分析＞

　定義にしたがって、「需要」と「供給」に分けて、考えてみる（頻出フレームワーク：需要・供給）。

　まず、需要に関しては、

　①需要＝（A）通勤需要×（B）電車選択率×（C）ラッシュ時間選択率
　（因数分解）

と表される。

　なお、(B) 電車選択率とは、バスやタクシー、徒歩といった他の交通手段もありながら、あえて電車を選択する人の割合、(C) ラッシュ時間選択率とは、電車を選択した人の中で、さらにラッシュ時間帯に乗る人の割合を指している。

　一方、供給に関しては、

　②供給＝（D）路線数×（E）本数×（F）車両数×（G）車両あたりの定員数
　（因数分解）

と表される。

　以上を1枚の地図に落とすと、以下のようになる。

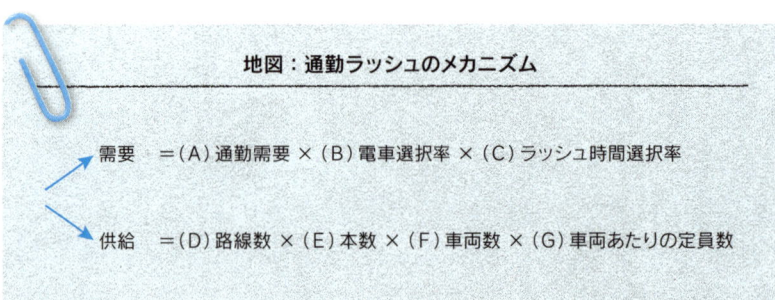

ここで使った「フレームワーク」は「需要」と「供給」だけでした。あとは、それぞれ「因数分解」して横に展開し、スッキリまとめています。「地図化」の説明では「フレームワーク」を強調してきましたが、「因数分解」は「フレームワーク」と並んでよく使う地図化ツールです。
　「地図」は、基本的には、フレームワーク（縦の分解）と因数分解（横の分解）の2つの分解法で成り立っているといってよいかと思います。
　なお、本書では「需要・供給」「心・技・体」、3Cのような並列コンセプト型のものと、AIDMAのような段階ステップ型のものの双方をフレームワークと呼んでいます。

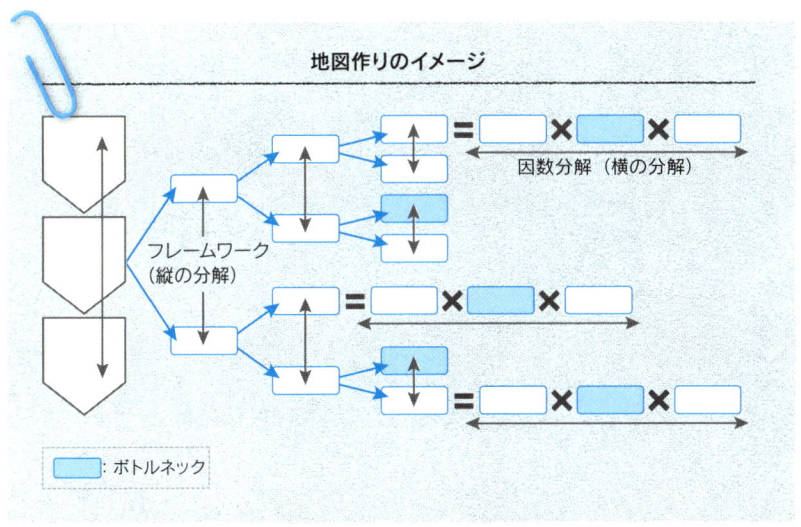

地図作りのイメージ

（ⅲ）ボトルネック特定

　さて、地図が得られたら、あとは一直線です。地図で問題の全体を俯瞰し、問題の主要原因である「ツボ」を突きとめます。外科医が手術で最も優先的に除去すべき「病巣」を見つけるイメージです。これを本書では「ボトルネック」と呼ぶことにします。

　さて、「ボトルネック」はどのようにして探すのでしょうか。これには

「ボトルネック」に対する代表的な打ち手をイメージして、それらのImpact（実効性：効果）とFeasibility（実行性：コスト・リスクなど）を予測するという非常に高度な知的作業が求められます。ある意味で、「打ち手立案」・「打ち手評価」の先取りともいえます。

医者にたとえると、ガンが2カ所に転移した患者がいるとし、2つの病巣（ボトルネック候補のファクター）をそれぞれA、Bとします。そして、医者はAには抗がん剤投与という内科治療、Bには摘出という外科手術という打ち手がふさわしいと考えているとします。

Aに対する内科治療の効果はやや低いが（Impact＝2）、コストやリスクが非常に低い（Feasibility＝4）ならば、打ち手の魅力を表すImpact×Feasibility＝2×4＝8となります。一方、Bに対する摘出の効果は高いが（Impact＝5）、コストやリスクがそれよりもずっと著しく高い（Feasibility＝1）ならば、打ち手の魅力Impact×Feasibility＝5×1＝5となります。このとき、打ち手の魅力を比較して「内科治療：8＞外科手術：5」であることから、より優先して除去すべき「ボトルネック」は内科治療がふさわしいAであることになります。

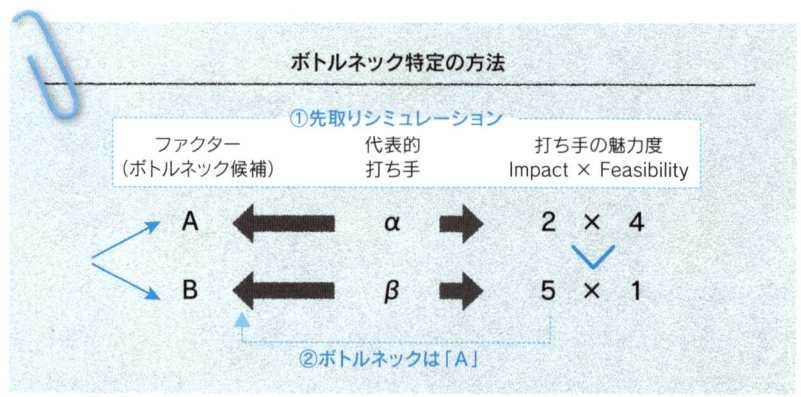

ツリー状の地図を作り、いくつかのファクターに分けると、ボトルネック候補となるファクターが目の前に多く出てきます。そのとき、山勘でボトルネックを選ぶのではなく、ひとまず岐路を前にして立ち止まる必要が

あります。まずは「望遠鏡」を使うイメージで、それぞれをボトルネックとして選んだあとの展開を見通してみるのです。すなわち、各ボトルネックに対応した代表的な打ち手を想像し、それらの打ち手の魅力（＝ Impact × Feasibility）を高速で「先取りシミュレーション」するということです。そして、最も打ち手が魅力的になりそうな、筋のよいファクターをボトルネックとして選びます。

＜理解をさらに深めたい人向け＞

厳密には、僕たちがボトルネックの特定に使う Impact についてですが、

　　Volume × Potential

という2つのファクターにさらに分解することができます。

ここでの Volume とは特定のセグメントの「改善余地の大きさ」を、Potential とは「打ち手への感応度」（実際に特定のセグメントに特定の打ち手を打ったときに、その改善余地がどれだけ埋められるかを表す値）を指します。Volume は各セグメントに応じた定数ですが、Potential は、打ち手に応じて変動します。そのかけ算で、特定の打ち手の Impact が決まるということです。

たとえば、「10代に人気の某アイドルグループのファンを増やすには」という問題を考えてみます。60～80歳の高齢者層は約2500万人で、10代（10～19歳）の若者の約1200万人より2倍ほど大きい集団なうえ、現状でファンがほぼいないので Volume はかなり大きいですが、実際どんな工夫を凝らしてよい打ち手を考えたとしてもファンになってくれる可能性、つまり Potential は限りなく小さいと思われます。これを踏まえると高齢者層の Volume × Potential は非常に小さくなります。

このような計算は頭の中で無意識に行われていることが多いかもしれませんが、もし Impact の分析の際に Volume と Potential のうち片方しか考えなければ、的外れなファクターをボトルネックとして選択してしまうこ

とになります。このように、打ち手のImpactを見積る際には、VolumeとPotentialという2つの要素をモレなく考慮する必要があるのです。

以上のように書いても、なかなか難しいと思いますので、再度、「通勤ラッシュ」の例で説明してみましょう。具体例をこなしていく中で、また解説に戻ってきていただければと思います。

<ボトルネック特定>
①需要について
　（A）通勤需要を減らすには、（H）家を会社に近くする、（I）会社を家に近くする、（J）会社に住む、（K）家で仕事するの4つのアプローチが考えられる（さらに4つのファクターに分解）。

　（H）家を会社に近くするや（I）会社を家に近くするに関しては、税制の優遇などで、家庭の都市部への引越しと会社の郊外部への移転を誘発するという、相当、長期にわたった政策的なアプローチになる。即効性のある解決策にはならないか（家や会社の移動誘発という打ち手をシミュレーションし、Time-Spanの面から却下している）。

　（J）会社に住む形態を増やすには、会社が新たに宿泊設備を設けねばならないため、コストやスペースの制約上、厳しいだろう（会社による宿泊施設の準備という打ち手をシミュレーションし、コストやスペースといったFeasibilityの面から、却下している）。

　（K）家で仕事する人を増やすには、在宅ワークや独立を支援する政策的配慮や会社への打診が求められる。午前中は家で働くなど工夫すれば、ラッシュ時の通勤需要を減らせるかもしれない（ボトルネックその1）。

　（B）電車選択率を下げるについては、鉄道会社がバス会社を傘下に入れていることは多くあり、電車からバスへのシフトを促すことが課題とな

りえるか(ボトルネックその2)。

(C) ラッシュ時間選択率を下げるについては、ラッシュ時以外の他の時間帯にシフト（通称：「ズレ勤」）してもらうには、ラッシュ時間帯の運賃を上げるか、ラッシュ以外の時間帯の運賃を下げるか、いずれかの方向性が課題となりえる(ボトルネックその3)。

②供給について
(D) 路線数：東京の電車は世界一過密であり、これ以上路線を作るのはさらに深層部を掘らねばならないためコストがかさむ。2008年に副都心線が開業したばかりであり、短中期的な解決を求めるなら、新路線の敷設は現実的に難しいだろう(新たな路線を作るという打ち手をシミュレーションし、コスト面から却下している)。

(E) 本数：2005年のJR福知山線の脱線事故以来、過密ダイヤが問題視されている社会情勢を考えると、さらなるダイヤの過密化は安全上好ましくない(本数の増発という打ち手をシミュレーションし、リスク面から却下している)。

(F) 車両数：東京の電車のホームを見る限り、ホームの長さギリギリまで車両は連結されており、あと1つ車両を連結するためには、ホームの拡張工事が必要になってしまう。これは多額のコストが推定され、現実的ではない(車両とホームの増設という打ち手をシミュレーションし、コスト面から却下している)。

(G) 車両あたりの定員数：これは、底面積×スペースあたり人数×高さ（階層）に分けられる(さらに因数分解)。
高さ（階層）を増やす、すなわち2階建て車にするのは、追加でコストがかかるのでまた現実的ではない。底面積の増加も車両交換が必要となるため、同様に難しい(2階建て車の導入や車両交換という打ち手をシミュレーションし、コスト面から却下している)。

> よって、スペースあたりの人数、すなわちスペース効率の増加を目指す。スペースは、イス（座る）と床（立つ）（さらに分解）に分けられるが、スペースあたりの人数は床の方が数倍多くなる。すなわち、イスを減らして、床を増やすことが課題となるか(ボトルネックその4)。

以上のように、各ボトルネック候補のファクターに対し、代表的な打ち手をシミュレーションし、それぞれをImpact・Feasibilityの観点から消去法で却下していき、残ったものをボトルネックとして採用していることがわかります。

この場合、ボトルネックは

その1：在宅ワーク・独立をする人数
その2：電車選択率
その3：ラッシュ時間選択率
その4：スペースあたりの人数

の4つとなりました。

（ⅳ）打ち手立案

さて、ボトルネックが決まったら、やっとそのボトルネックを叩くための打ち手を出していくステップに入ります。

このステップの基本は、同じくモレなくダブリなくMECEに打ち手を出していくことにあります。イメージとしては、以下の図のようになります。

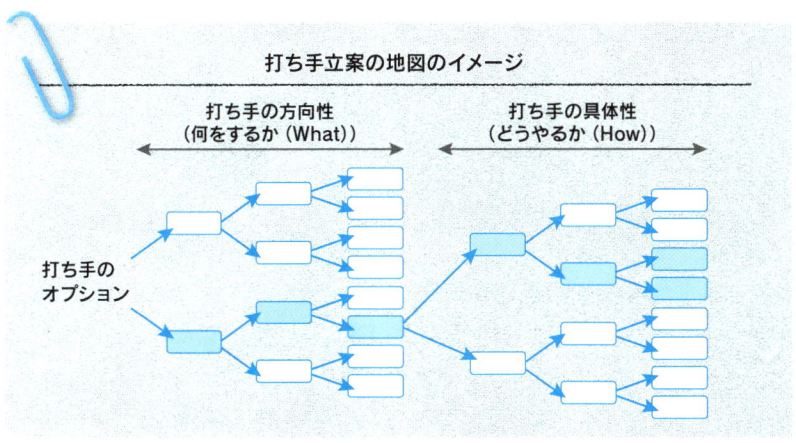

　打ち手のオプションから、まず大まかな打ち手の方向性を決め、次に打ち手をさらに具体化していくイメージです。それぞれ、「何をするか（What）」と「どうやるか（How）」と言い換えることもできます。

　たとえば、「MTG（ミーティング）のために家から出かけようとしたが、土砂降りの雨が降ってきた」場合の打ち手のオプションは、以下の図のようになります。

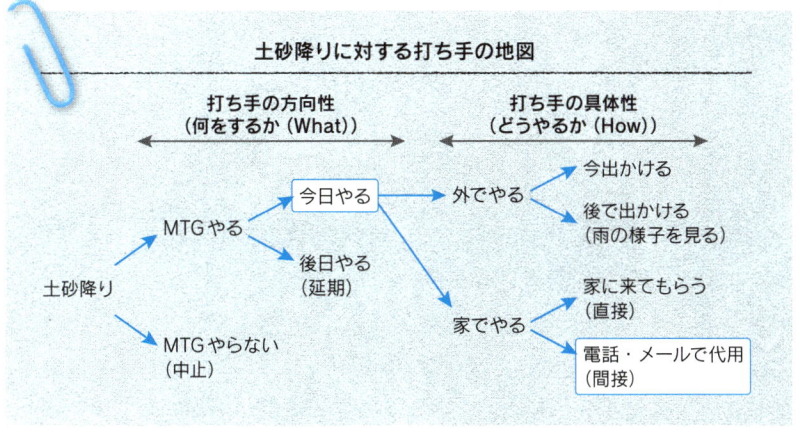

　この図においては、「土砂降り」に対して「MTGを今日やる」という方

向性を選択し、「電話・メールで代用」という具体的方法をとったことになります。

このように、打ち手立案においても「地図」を作るのが基本ですが、実際の選考においては、ステップ2の現状分析における「地図化」が非常に重視され、とくにグループディスカッションにおいては、最初の「地図化」だけで制限時間を使い切ってしまうことがほとんどなのが実情です。

また、たしかにツリーを使って打ち手を整理していくのは基本なのですが、このようなシステマティックなカチカチしたアプローチで打ち手を考えても、いわゆる「ぶっとんだ」ユニークな打ち手は出てきにくいです。

以上のことを考えて、紙面の制約もあり、本書ではいくつかの例外をのぞいて、打ち手立案における「地図化」は行わず、モレがあるのを承知で、妥当と思われる打ち手をいくつか挙げるにとどめています。ただし、「ぶっとんだ」打ち手も勇気を持ってできるだけ含めるようにしました。また、簡単のため、「打ち手の方向性」の指摘までをカバーし、「打ち手の具体化」には踏み込んでいません。

これらを「通勤ラッシュ」の問題に当てはめてみましょう。

＜打ち手立案＞

4つのボトルネックのそれぞれに対して、考えられる打ち手を挙げてみました。

1. **在宅ワーク・独立支援制度導入に対する税制優遇を行う（→在宅ワーク・独立をする人数）**

在宅ワークや独立の支援制度を導入した会社への法人税の優遇などの長期的な政策的配慮が必要だろうか（打ち手その1）。

2．通勤バスの増発・ラッシュ時のみのバス割引定期券を発行する（→電車選択率）

通勤用のバスを増発（打ち手その2）したり、通勤ラッシュ時のみ使えるバス割引定期券の発行（打ち手その3）などが考えられるだろうか。

3．オフピーク時のみの割引定期券を発行する（→ラッシュ時間選択率の減少）

ラッシュ時間帯の運賃だけを上げるのは、前払いの定期券が導入されている現在のシステムでは難しい。逆にオフピーク時のみ利用できる定期券を安く販売する（打ち手その4）のはどうだろうか。仮にラッシュ時に利用する場合には、電子マネーからラッシュ時の課金として数百円引き落とすようにすれば、オフピーク時の利用を促せるだろう。

ちなみに、東京メトロ東西線はすでにメトロポイントという一種の価格インセンティブを導入し、ズレ勤キャンペーンを行ったことがあるという。

4．イスを撤廃する／折りたたみイスを導入する（→スペースあたりの人数）

イスを全廃する（打ち手その5）か、折りたたみ式にする（打ち手その6）ことが考えられる。実際、山手線の一部の車両では折りたたみ式のイスが導入されていたようである。

「地図」は書いていませんが、3つのボトルネックに対して、それぞれいくつかの打ち手が出されていることがわかります（当然ですが、この他にもよい打ち手が考えられると思います）。

（ⅴ）打ち手評価

長かったケース問題もこれでやっとゴールです。（ⅳ）で出した打ち手を評価し、優先順位づけをします。

評価するには「ものさし」となる評価軸が必要になりますが、それは先ほど出てきたImpact（実効性：効果）、Feasibility（実行性：コスト・リスクなど）、Time-Span（打ち手を打つまでの準備期間and/or打ち手を打

ってから効果が出るまでの発効期間）などで評価することが多いです。とくにImpactとFeasibilityは重要ですので、覚えておきましょう。

厳密にはそれぞれの評価を定量化（フェルミ推定）して求めるのが望ましいのですが、本書では簡単のため、定性的な評価を行うにとどめてあります。

たとえば、「通勤ラッシュ」の問題では、以下のようになります。

＜打ち手評価＞

4つの打ち手がオプションとして挙がっているが、それらをImpact（実効性）、Feasibility（実行性）、Time-Span（準備・発効期間）の3軸から評価してみると、以下の表のようになった。

	Impact	Feasibility	Time-Span	Priority
1. 在宅ワーク・独立支援制度導入に対する税制優遇を行う	小	小	長期	4
2. 通勤バスの増発・ラッシュ時のみのバス割引定期券を発行する	小	中	中期	3
3. オフピーク時のみの割引定期券を発行する	大	大	短期	1
4. イスを撤廃する／折りたたみイスを導入する	中	大	中期	2

優先順位が高い順に、打ち手の評価を説明する。

3. オフピーク時のみの割引定期券を発行する

ラッシュ時の電車利用が相対的にコスト高となる環境を作ることで、ラッシュの解決に直接的に貢献できそうだ。鉄道会社の立場では、車両変更より初期投資は小さく、実現が容易な一方、通勤者を抱える企業から見ると従業員の定期代の削減や、ラッシュ通勤の疲労からの解放による仕事効率の向上といった効能が得られるため、協力しやすいだろう。それに伴い、企業も早（遅）時出社・早（遅）時退社のしくみを整えるなど、個々の

通勤リズムに合わせた雇用体系が必要になるだろうか。

4．イスを撤廃する／折りたたみイスを導入する

　山手線の一部の車両で行われていたこの打ち手は混雑緩和の達成を理由に撤廃されたようだが、他の路線ではこれからの導入の余地もあるだろう。車内の内装を変えるだけなので、3.ズレ勤の奨励ほどではないが、電車のキャパシティを増やす打ち手の中ではコストが小さい。

2．通勤バスの増発・ラッシュ時のみのバス割引定期券を発行する

　新たにモノを作ったりする必要がないため、コストはあまり大きくないと予想されるので、東京都や鉄道会社が何らかの形で援助・推進策を打てば、実現可能だろう。ただバスは電車に比べて揺れが多いうえ、渋滞の影響を受けやすく時刻が不正確なため、バスにシフトする層は限られるだろう。

1．在宅ワーク・独立支援制度導入に対する税制優遇を行う

　現状では家で独立してできるオフィスワークは少なく、なかなか大きな効果を期待することはできないだろう。各企業が在宅ワークをできる環境をより整備すれば効果も出るかもしれないが、オフィスに集まらずに仕事をするスタイルは多くの企業にはなじまないうえ、企業にとって定期代の削減程度しかインセンティブがないため、その実現には時間がかかりそうである。

　繰り返しになりますが、厳密には各打ち手の評価を定量化して大小関係を出さねばなりませんが、ケーススタディにおいては、時間・情報の制約のため、打ち手自体がふわふわしているので、定量化が難しいです（定量化の技術であるフェルミ推定については、前著『現役東大生が書いた 地頭を鍛えるフェルミ推定ノート』をご参照ください）。

　おつかれさまでした。以上で問題解決ケースの基本事項の解説は終了で

す。

　なお、現実には決定した打ち手を実行するというフェーズが続きますが、本書では思考のシミュレーションとしての「問題解決ケース」を扱っているため、「打ち手評価」までをカバー範囲としています。

　ただし、個人ケース（Project7〜9、Case7〜9の6問）に関しては、ボトルネックや打ち手は個々人の状況によってまったく異なりますので、地図化による現状分析と各ファクターから想定される代表的な打ち手を列挙するにとどめています。例外的に個人ケースの最初のProject7とCase7は、個別の問題にどう対応するかのイメージをもっていただくために、具体的なストーリー設定を行い、最終ステップの「打ち手評価」まで通して行いました。

　では次からは実践に入っていきましょう！

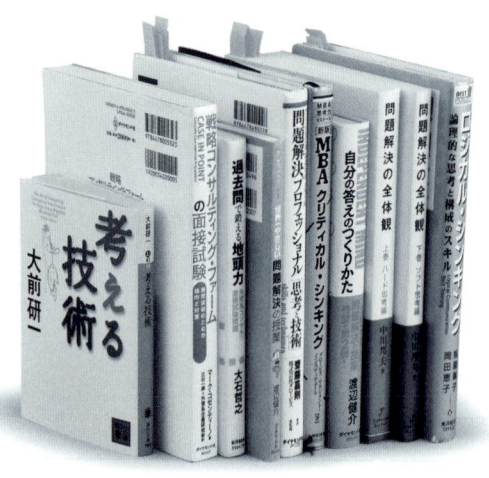

◀「問題を解く力」を鍛える上でとても参考になった書籍。何度も読み込むことで、思考の「OS」をアップデートすることができました。

Chapter  実際の面接における5ステップ

　では、実際の面接では5ステップをどのように踏みながら解いていくのか、僕たちの面接経験をもとにして説明していきたいと思います。

〈登場人物〉
堀（コンサルタント）：大手戦略コンサルの若手コンサルタント
吉永（学生）：戦略コンサル内定を目指す学部3年生

（六本木にあるオフィスビルの高層階。先日のフェルミ推定の面接をクリアし、再度個人面接に臨む。オフィス前に行って、ドアの前にある電話をかけると、受付の方が応対、こぢんまりとした応接室まで案内してくれた）

受付の方：今日はわざわざお越しいただき、ありがとうございます。面接官はまもなく参りますので、それまでおかけになってお待ちください。

吉永（以下、吉）：了解しました。
（コートを脱ぎ、ソファーに腰掛けて、しばらく緊張した面持ちで待つ。5分ほどすると、コンコンというノックのあとに「失礼します！」というどこかで聞き覚えのある声。ドアが開いた）

堀：あ、前回はどうも。吉永さんですね。今回も私、堀が担当しますので、よろしくお願いします。

吉：こちらこそお願いします。

堀：では、志望動機からぽちぽち始めましょうか。なぜ数あるファームの中から、弊社を志望されているんでしたっけ？

吉：それはですね……。

（以下、ディベートに近いような議論の応酬が続く。前回の穏やかな態度とは打って変わって質問は鋭く、口調も厳しい。のどかなフェルミ推定とは違い、内容が少々センシティブだからだろうか）

堀：もういいでしょう。では、時間も限られていますので、ケース問題に移りたいと思います。今回はより実践的な問題解決系のケースにしますね。こちらの紙とペンを使っていただいて、結構ですので。

（おもむろに大きめの方眼紙ノートと細身の黒マジックペンを差し出される）

吉：ありがとうございます。

堀：それではですね、うーん、そうだな。今日、私、ちょうど新幹線で大阪から戻ったところなんですね。なので、「新幹線の中のコーヒーの売上を上げるには」どうすればいいか、考えてもらえますか。5分ほど差し上げますんで、アウトプットを出してください。

吉：5分ですか、了解です。すみません、それはどの路線にしましょう？あと、売上は1日の売上ということでよろしいですか。またクライアントさんは誰ですか。

堀：考えやすいように、知り合いの売り子さんから相談を受けたという設定にしましょう。あとは全部、ご自分で設定してくださって結構ですよ。

吉：承知いたしました。

（沈黙の5分間が流れる。堀は先ほどの志望動機の評価を書類に書きこんでいるようだが、吉永には知る由もない）

(ⅰ) 前提確認
吉：流れはできました、今プレゼンしても大丈夫でしょうか。

堀：（書類から目を上げて）OKです。始めてください。

吉：はい。まず、このままだと問題がふわふわしているので、先ほどおっしゃっていただいたように、自分で問題に枠を設定しました。ご指定の通り、知り合いの売り子さんからの相談だと仮定し、東海道新幹線（東京～新大阪間）の1日のコーヒーの売上の増加を考えたいと思います。

堀：なるほど。まあ、いいでしょう。私も今日は東海道新幹線を使いましたしね。

(ⅱ) 現状分析
吉：はい。1日の売上をまずかけ算状に因数分解してみました。
（紙の向きを逆にして、堀に示す）

地図：コーヒーの売上の因数分解

1日のコーヒー売上 ＝（A）売り子さんの1日の乗車本数
　　　　　　　　　×（B）新幹線1本あたりコーヒー購入客数
　　　　　　　　　×（C）1人あたり購入数 ×（D）コーヒー単価

と分解できます。

堀：おー、キレイな式ですね。でも、現在どれくらい売れているんですかね。イメージを作るために、定量化していただけますか。

吉：了解です。現状を分析してみると、(A) については、おそらく1日2本でしょう。というのも新大阪まで新幹線で片道約2時間半なので、新幹線を乗り換えて折り返す時間なども考えると6時間程度になります。これに準備の時間などを含めるとパートの売り子さんの1日の勤務時間として妥当になりそうです。

次に (B) ですが、さらにもう1段、分解してみると、このような式になります。

(先ほどとは別の紙を見せる。何度も横線で消してあり、試行錯誤の跡が垣間見える)

地図：新幹線1本あたりコーヒー購入客数の因数分解

(B) コーヒー購入客数 ＝ (E) キャパシティ × (F) 稼働率 × (G) 回転率
　　　　　　　　　× (H) コーヒー購入率

たとえば、「のぞみ」の1車両（5席×20列＝100人とする）が満員で、かつ東京から新大阪までお客が降りないとします。経験的に判断するとコーヒーを購入するのは、平均で100人に3人ほどでしょう。すると、コーヒーは新幹線1本あたり東京〜新大阪間で全16車両×100人×3/100＝48人に売れていることになります。

(C) については、新幹線でコーヒーを2杯以上飲む人はあまりいないので、1杯としてよいでしょう。

最後に (D) に関してですが、現在1杯250円ほどでブラックコーヒーを紙コップで販売していると想定します。

堀：妥当な設定だと思います。すると、2本×48人×1杯×250円で……2万4000円か……そんなもんですかね、了解です。続けてください。

(iii) ボトルネック特定

吉：今回は売り子さんからの相談なので、(A) 乗車本数と (D) コーヒー単価はいじれませんね……あと (C) 1人あたり購入数ですが、3時間の乗車時間で、コーヒーを1人が2杯以上飲むというのも考えにくいです。ですから、今回は (B) 新幹線1本あたりコーヒー購入客に絞りたいと思いますが、いかがですか。

堀：うん、いいでしょう。

吉：(E) キャパシティは100席×16車両、(F) 稼働率はそのうちどれくらいが埋まっているかを示す割合で時間によって変わります。(G) 回転率は先ほど設定したように東京・新大阪間ではほとんど入れ替わりがないとして、1と置きます。これらの数値は、コントロールできません。ですから (H) コーヒー購入率をボトルネックとして考えています。

堀：なるほどね。

吉：すみません、今ちょっと疑問に思ったのですが、売り子さんの本来の目的は弁当や他の飲み物も含めたトータルの売上を増やすことですよね。そうなら、かならずしもコーヒーのみを集中して売ることにとらわれる必要はないか、とも思ったのですが、この問題の趣旨はどういうところにあるんですかね？

堀：たしかにそういわれればそうですね。まぁー、ケースはあくまで思考実験にしかすぎませんからね。不自然に思われるところがあれば、適宜ご自分で設定を変更していただいて、結構ですよ。

(iv) 打ち手立案

吉：そうですか。ですが、今回はここまでコーヒーに絞ってきたので、最後までコーヒーで通したいと思います。他の商品の販売にも効く議論だと思いますし。

では、ボトルネックの(H) コーヒー購入率に対し、打ち手を立ててみます。

そもそも、コーヒーの購入は、

注意・興味（Attention/Interest）→ 購買（Action）

の2ステップで考えられると思います。

注意・興味についてですが、そもそも、売り子さんがコーヒーを売っていることを意識していない客が多いと思われます。「コーヒーはいかがでしょうか？」とさりげなく車内アナウンスしたり、台車に張り紙をしておくことが有効でしょうか。周囲にコーヒーの香りが広がるように、淹れ方を工夫するのもよいかもしれません。

購買についてですが、お客さんの意識の中でコーヒーの存在感を高めたうえで、やっと買ってもらえる段階に入ります。ここで乗客との接触を質・量の2面から考えてみます。

接触の質は、観察力（顧客発見）・口説き力（顧客誘導）の2点に分けられます。

観察力は周囲を見渡して、コーヒーを欲しがりそうな潜在客は誰か察知する力、口説き力はそうやって潜在客を発見したあと、自然に口説きにかかる売り子さんのトークの力ですね。販売実績のいい売り子さんのノウハウを教えてもらったり、そういった人が書いた本を読んだりするのがいいでしょう。なにせトップセールスの売り子さんは平均の3倍ほどの売上を作るらしいですから。

お客さんの後ろから回るときは、常にお客さんとアイコンタクトできる

ように、かならず後ろ向きで台車を引くとかですかね (観察力)。また、弁当を売るときは決まり文句のように「ご一緒にコーヒーはいかがですか?」とすすめるとかですね。接客に余裕がある時間帯は、家族連れと写真を撮ったり、子供にシールを配ったりして、ついでにちゃっかりコーヒーをすすめてもよいかもしれません (口説き力)。

堀:なるほど、まあ、たしかにありそうな打ち手ですね。

吉:接触の量は

巡回回数 × 1人あたり接触時間 (巡回スピードの逆数)

で表すことができます。

　巡回回数に関して、今までが1.5時間に1回の頻度だとすれば、1時間に1回にしてみてもよいかもしれません。すると、3時間弱の平均乗車時間の間に2回回っていたのが、3回回れることになります。これにより、客が商品を欲しいと思っているタイミングで巡回できる確率は上がりますし、睡眠・仕事への没頭・トイレなどで売り子さんと接点を持ち損ねていた乗客への販売チャンスも増えるでしょう。

　それ以上巡回を増やすとさすがにお客さんに迷惑になるので、余裕があるならお客さんが声をかけやすいよう、2倍くらい時間をかけてゆっくり回ってみてはどうでしょう。欲しそうなお客さんの見極めやアイコンタクトもできるようになるため、購入率の増加にもつながると思います。

堀:なるほど。しかし、僕が今日そうだったんですが、食事の時間帯においては、それはできないかもしれませんね。みんなお弁当を買うので、売り子さんが回るのに時間がかかるんですよ。1人の接客に30秒かかったとして、1車両100人中20人が買ったとしたら、1車両10分ですからね。回るだけで10分×16車両で2時間以上かかっちゃいますよ。

吉：たしかに時間帯によっては難しくなりそうですね。ただ時間に関しては、経験を積んだ売り子さんのように販売時におつりを速く渡す技術を身につけて30秒の接客を20秒にするような努力ができるかもしれません。

堀：そうですね。ではちょっと時間も押してきているので、ざっくり打ち手の優先順位をつけてもらえますか。インパクトを推定する時間はちょっとなさそうですし。

(ⅴ) 打ち手評価
吉：了解しました。大きく2つの方向性で提案したいと思います。

1. 接触の量的改善
　空いているときや食事以外の時間帯に関しては、頻度を1.5倍、スピードを2分の1にしてみれば、単純に考えて接触時間は3倍になります。食事時以外のように時間的余裕があれば、すぐ実現可能なので、これをまず実践してみるのはどうでしょうか。

2. 接触の質的改善
　さりげなくコーヒーを車内アナウンスしたり、台車にコーヒーをすすめる紙を貼ることで、周知しましょう。先ほども述べた通り、あまりコーヒーばかり強調するわけには職務柄いかないでしょうが、台車に紙を貼ってアピールするのはすぐできるかもしれません。

　これらは即効性のある打ち手でしたが、長期的には販売実績優秀者の技術（潜在ニーズの見極め・トーク術）を直接、もしくは本を通じて吸収して、腕を磨いていく必要があるでしょう。

　以上ですかね。

堀：了解です。まあ、妥当なアイデアだと思うので、何かもっと「ぶっと

んだ」打ち手はないですかね。アイデアベースで結構ですので。

吉：そうですね、うーん。販売時にお客さんが寝ていないように、暖房の温度を上げるとかですかね（笑）。のども渇くのでちょうどいいかもしれません。もしくは、飲み物の販売をコーヒーのみにしたり、競合となる車内自動販売機に「故障中」の張り紙を貼ったりですかね。現実性の観点から、無意識に除いている打ち手が多くありそうです。

　あと、仮にJRがクライアントさんだったら、コーヒーの値下げとか、品質の改善とか、コーヒー自体にも手が出せるのですがね。設定が売り子さんなので、力が及ばない面もありそうです。

堀：なるほど。（腕時計を見て）では時間になりましたので、結果の方は後日、メールか電話でお伝えします。今日はお疲れさまでした。

〈コメント〉
- 戦略コンサルのケース面接は「フェルミ推定」と「問題解決ケース」の両輪からなります。吉永君は前回「フェルミ推定」をクリアしていたので、今回は「問題解決ケース」を出されています。ただし、今回のように「問題解決ケース」においても、最初に前提確認の一環として「フェルミ推定」が課される場合もあります。
- 問題はこのように面接官の「その場の思いつき」で出されることが多くありますので、設定などは練られていないことが多いです。まずは、面接官と相談して「前提確認」を行いましょう。
- 今回は「地図化」においては、フレームワークではなく、因数分解を多用しています。問題によって、適切な地図を描くためのツールは違ってくるようです（ただし、後半ではいろんなフレームワークが登場してきています）。また、学生がフレームワークをやたら使うことを嫌がる方も中にはいるので、使うときはより丁寧な説明が求められるかもしれません。
- 選考では主に「地図化」が重視されますが、終盤の堀氏のようにアイデアを欲しがる方もいます。左脳・右脳のどちらが見られているのか、注意すべき

でしょう。
- 今回は時間がなくて、打ち手の定量的な評価までは手が届きませんでした。実際、面接やグループディスカッションなどでも前半部に時間を使うので、よくあるケースです。しかし、厳密な定量化を問われる場合もあるので、準備はしておいたほうがよいと思います。
- 吉永君は5分間の準備にしては、相当よくできたほうだと思います。5分で大まかな枠組みだけ考え、詳細は考えながらプレゼンしているようです。
- 新幹線のいわゆる「カリスマ販売員」とされる齋藤泉さんは、山形新幹線の往復7時間の間に平均的な販売員の売上が約8万円なのに対し、30万円以上という驚異的な記録を持ちます。齋藤さんは販売当日の列車の客層の予測、時期や天候の判断に基づき、売れそうな商品の選定や陳列の工夫まで行っているそうです。さらに、平均的な販売員より車両を往復する回数を多くし、到着間際でも商品を手持ちで販売するなど販売機会を増やしています。また、通り過ぎた後方のお客様にも視点を置き、再度の巡回時点で意思の確認をするなど、そのプロフェッショナルな姿勢を見習いたいものです（齋藤泉『またあなたから買いたい！』徳間書店を参照）。

COLUMN ①

「地図化」は「ルービックキューブ」の要領で

　問題の打ち手を思いつくままに列挙することは簡単ですが、フレームを用いて、重層構造のツリー状の「地図」を作るのは、相当な熟練がいります。何かコツはないものでしょうか。

　まず前提として、武器となるフレームを装備しておく必要があります。知らない武器は使えません。市販のフレームワーク本のようなものでもいいでしょうが、自分で発見・開発した愛着のある「マイフレーム」をノートにストックしている人は多いようです。

　さて、その武器を使った「地図化」ですが、これはまさに「ルービックキューブ」の如き職人芸といえます。初心者はカチャカチャとにかくキューブをこねくり回し、完成に相当時間がかかるものですが、名人ともなると、ものの数秒で完成させてしまいます。

　名人も最初は初心者だったはずです。最初はカチャカチャやっては、「これ違う」ともとに戻し、相当、試行錯誤を繰り返しています。そうやっていくうちに、あるとき偶然、色がそろいます。そのときの動作が無意識に脳に刻まれ、そのパートに関しては、勝手に手が動くようになるのでしょう。

　「地図化」も一緒です。最初は恐る恐るフレームを「カチャ」っと使ってみて、打ち手がうまく整理されるかどうかを確認していきます。ダメだったら違うフレームを「カチャ」っと使ってみます。すると、あるとき偶然、切れ味よく打ち手が分類されます。大切なのは、このフレームの使用法を「パターン化」して、その「切れ味の快感」とともに強く意識することかもしれません。慣れていけば、シンプルな問題に関しては、カチャカチャカチャと数秒で「地図化」が完了できるようになります。

　「地図」さえ完成すればしめたものです。「地図」はすなわち、打ち手を入れていく「箱」のようなもの。あとは、思いついた打ち手をどんどん「箱」に分類して放り込んでいけばよいからです。

PART 2

9パターンのコア問題で、問題を解く力を効率的に鍛える!

PART2では、以下9つの問題解決ケースをご紹介します。いずれも問題を俯瞰するための「地図」をうまく作ることが大切です。(ⅰ)前提確認まで読んだら、ぜひ手を動かして自分だけの「地図」を作ってみてください。

Project 1	マクドナルドの売上を上げるには	難易度 B
Project 2	チェス人口を増やすには	難易度 C
Project 3	ホノルルマラソンの日本人参加者を増やすには	難易度 B
Project 4	花粉症患者を減らすには	難易度 B
Project 5	東京からカラスを減らすには	難易度 A
Project 6	年間献血量を増やすには	難易度 C
Project 7	大学生が3カ月で100万円作るには	難易度 B
Project 8	英語を話せるようになるには	難易度 A
Project 9	ダイエットするには	難易度 A

Private ケース

Project 1 マクドナルドの売上を上げるには

難易度 B

(ⅰ) 前提確認

日本の外食産業の売上トップを走るマクドナルド（以下、マック）。全国に幅広くハンバーガーショップを展開してきましたが、国内での店舗数拡大は限界を迎えつつあります。さらなる売上増を実現するための打ち手の立案を、社長より「マクドナルドの売上を上げるには」と相談されたとします。

ただし、日本国内のマクドナルドに限るものとし、売上増の目標数値や期間に関して、あえてここでは定めないことにします。

(ⅱ) 現状分析

まず、マクドナルドの売上を因数分解してみましょう。

地図：売上の因数分解

売上 =（A）店舗数 ×（B）1店舗あたり客数 ×（C）客単価

売上は、上の地図のように分けられます。本問では前提で「店舗数拡大は限界」としているので、(B) 1店舗あたり客数と (C) 客単価を考えることにします。

(B) 1店舗あたり客数：まず、現在の顧客層を把握してみましょう。こればかりは外部データが存在しないので、筆者がよく利用する都内某店舗を参考に、考えてみます。

具体的には、曜日（平日・休日）×時間帯（朝・昼・夜）×形態（Eat-in/

Take-out）の3軸において、それぞれのセグメントで来客層が違ってくることになります。

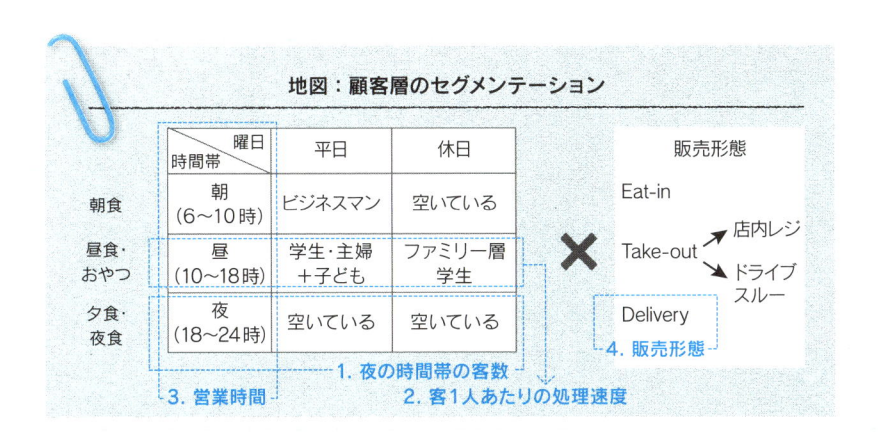

地図：顧客層のセグメンテーション

時間帯＼曜日	平日	休日
朝（6〜10時）	ビジネスマン	空いている
昼（10〜18時）	学生・主婦＋子ども	ファミリー層 学生
夜（18〜24時）	空いている	空いている

区分：朝食／昼食・おやつ／夕食・夜食

× 販売形態
- Eat-in
- Take-out → 店内レジ／ドライブスルー
- Delivery

1. 夜の時間帯の客数
2. 客1人あたりの処理速度
3. 営業時間
4. 販売形態

> **Key Point** 時間帯や曜日で異なる客層をチャートで整理し、ボトルネックを特定しています。販売形態は左のマトリクスには乗せずに、分けて考えています。

なお、最近の<u>新規客層獲得</u>の試みとして、<u>マックのカフェ化</u>による平日のビジネスマンの取り込みが挙げられます。たとえば、カフェメニューの充実やマックカフェの併設、プレミアムローストコーヒー（100円）の発売、店内改装による洗練された雰囲気、LANケーブルの設置など数多くの打ち手が打ち出されています。

<u>既存客のリピート獲得</u>の試みとしては、月見バーガー・グラタンコロッケバーガーなどのシーズンメニューを交代で投入してメニューの鮮度を保つ施策や、割引クーポンの配布などが挙げられます。また、「Big America」キャンペーン、「コーヒーゼロ円」キャンペーン、「ポテト食べ放題＆ドリンク飲み放題」（一部店舗）など、話題性を絶やさないようさまざまなキャンペーンを繰り出しています。

（C）客単価：客単価は**商品単価×購入数**で表されます。近年の**商品単価**

に関わる商品投入として、クォーターパウンダーやメガマックなどの高価格バーガーが、購入数に関するものとして100円マックが特徴的です。前者で高い利益率を確保し、後者でおやつ需要の開拓や衝動買い、コアメニューとの合わせ買いの誘発を目指していると思われます。

(ⅲ) ボトルネック特定

客単価については、クォーターパウンダーなどの高価格帯から100円・120円マックまで幅広く価格帯が充実しており、すでに相当配慮されている感があります。

よって、このケースではB：1店舗あたり客数について、伸ばせそうな点を4つ挙げてみました。

1. 夜の時間帯の客数

マックの主力商品であるハンバーガーはやはりランチ向きですので、異なる時間帯層のお客さんを取り込むためにマフィンやホットドッグなどの朝マックや、ソフトクリームやサンデーなどデザートメニューが整備されてきました。また、先述したマックのカフェ化により、平日の昼間のビジネスマンにも徐々に人気が出てきているようです。

しかし、夜に限っては昼と同じレギュラーメニューが提供されており、潜在顧客を逃している可能性が考えられます。マックのコンセプトや工程能力にマッチした範囲での夜メニューの充実がカギかもしれません。

2. 客1人あたりの処理速度

マックは、とくに都心では昼間の稼働率が100％に近いことも多く、かつレジに長蛇の行列ができています。行列が長いため、多くの来店者があきらめて帰ってしまい、潜在顧客を大量に逃し、機会損失が発生しています。

以前の「作り置き販売」からモスバーガー式の「受注販売」へシフトしたことで、やはり多少、待ち時間が長くなっているのかもしれません。

マックも秒単位での工程改善やクレジットカード決済の導入などによ

り、秒単位の短縮化を図っているようです。

3．営業時間

　現在でも24時間営業の店舗が多く導入されていますが、都市部の店舗を中心にさらに24時間制を導入する方向性も検討できます。

4．販売形態

　ケンタッキーフライドチキンなどの競合のファストフードチェーンがすでにデリバリー（宅配）をやっているのに対し、マクドナルドではEat-inとTake-outの2つの形態で商品を販売しています。

（ⅳ）打ち手立案

1．夜メニューを導入する

　牛肉という強みを活かして、ハンバーグやビーフシチューなどの夜メニューを提供してみてはどうでしょうか。また、深夜は照明を暗くして、「マックバー」のようなコンセプトのもとでのアルコール提供も考えられます。さらに夜は100円追加でポテト食べ放題にするなどして、夕食のボリュームを確保できるかもしれません。

2．レジの処理能力・調理スピードを向上させる

　昼間の混雑時の製造ラインやレジを増設したり、レイアウトの改善、地道な店員教育がより、求められるでしょう。また、クレジットカード・おサイフケータイ専用のレジを設け、決済の利便性・速さをアピールすることで、顧客にカード利用を促したりすることもできると思われます。

3．営業時間を延長する

　試験的に24時間営業を導入し、採算がとれれば、徐々に広げていけばよいでしょう。深夜客に親和性の高いネットカフェゾーンを設置してみてもおもしろいかもしれません。

4.「お届けマック」を立ち上げる

デリバリーサービスが行われていないのは配送コストがかさむからと思われるので、デリバリーを客単価1万円以上のみのパーティーや宴会用の団体客に絞るなどすれば、採算がとれるかもしれません。

（ⅴ）打ち手評価

以下、優先順位が高い順に打ち手を並べてみました。

3．営業時間を延長する

24時間営業の試験的運用で採算がとれると判断された店舗だけ施行されるため、リスクは小さく確実な売上増が見込めるはずです。マックの中心顧客層の若者の夜型の生活スタイルにもマッチしており、<mark>打ち手1．夜メニューを導入する</mark>を補完する形にもなります。

1．夜メニューを導入する

あたれば空席が目立つ夜の時間帯に顧客を呼び込めるうえ、客単価も高くなり、売上増に大きく貢献する可能性があります。ただ、一方で新メニューの調理工程の新設や材料調達経路の開拓、調理法のスタッフ教育など大規模な初期投資が必要となり、<u>リスクが大きいのが難点</u>です。

2．レジの処理能力・調理スピードを向上させる

都会の昼時の混雑の緩和は確実に機会損失を減らし、売上アップに直結すると思われます。ただ、現状でもストップウォッチを使った動作研究など秒単位での調理・販売リードタイムの短縮を図っており、今後も小さな改善にとどまる可能性が高いかもしれません。それでも、クレジットカード・おサイフケータイ専用レジの設置により、これらの決済を使う客が増えれば、処理速度のもう少し大きな改善が可能かもしれません。

4．「お届けマック」を立ち上げる

他のファストフードチェーンより、<u>店舗数が多く、立地条件もよい</u>た

め、配達ニーズは相対的に小さいと思われます。新たに必要とされる配達用人件費、バイクのリース(購入)費・管理費などを考えると、打ち手としての優先度は低いのではないでしょうか。

〈反省と今後の課題〉
・日本マクドナルドIR(2010年3月)によれば、12カ月以内に433店舗に対し、新時代デザイン店舗への改装のための戦略的閉店をすすめるとしており、店舗数は減少の見込みです。店舗の「数」の拡大から「質」の向上へと経営の焦点が移ってきているのかもしれません。ただし、学校や駅などまだまだ店舗数拡大の検討余地はあると思われます。
・セグメントを切る新たな軸として、「都会・田舎」もかなり有効でしょう。ここでは筆者の経験上、「都会」の話で展開してしまっている気がします。
・売上増のための成長戦略にしては、ややミクロな改善策が多くなりました。これらを踏まえつつも、もっとドラスティックな打ち手が求められるでしょう。

Case 1:ヤクルトレディの売上を上げるには　難易度 A

ヤクルトレディは契約している法人・個人向け両方に対し、ヤクルト飲料を訪問販売しており、新規顧客の開拓も行います。幼少のころから長くお世話になっているLさんから、1日の売上を上げられないかと相談があったとします。売上はどのように因数分解できるでしょうか?

Private ケース

Project 2 チェス人口を増やすには

難易度 C

（i）前提確認

チェスは西洋では最もメジャーなボードゲームですが、日本においては残念ながら、将棋や囲碁、オセロの後塵を拝しています。

そこで、日本チェス協会（JCA）から「日本でチェスを普及させるにはどうすればよいか」との相談を受けたとしましょう。

ここでは、「チェス人口＝1カ月に1回以上、チェスを習慣的にプレイする人々の数」と定義し、その増加を目指すことにします。

（ii）現状分析

今回の課題の対象である日本人を①「0〜20歳の若年層」、②「20〜60歳の社会人・主婦層」、③「60〜80歳のシニア層」の3つの層に分解します。

地図：日本の人口ピラミッド

- 80歳　シニア層
- 60歳
- 40歳　社会人　主婦
- 20歳
- 0歳　学生
- 男　女

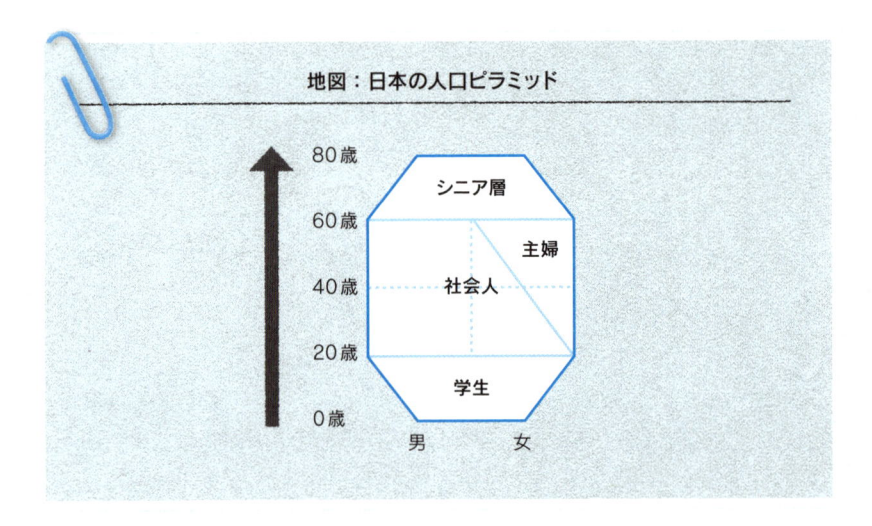

①0〜20歳の若年層はルールの吸収度が高く、またチェスをプレイする時間も十分にあります。他のボードゲームになじんでいない人も多く、先に囲える可能性があるでしょう。

②20〜60歳の社会人・主婦層は、新たにルールを覚えるだけの時間的余裕や機会が乏しいかもしれません。しかし、ルールをすでに知っている休眠層には交友関係維持のツールや脳トレとして受け入れられる可能性があります。

③60〜80歳のシニア層は現在チェスの浸透率が最も低いと考えられます。チェスをプレイする時間は十分にあるはずですが、将棋や囲碁がすでに浸透しているうえ、年齢的に新たにルールを覚えるのはなかなか大変で、普及しにくいと考えられます。

そこで①0〜20歳の若年層をメインとしつつ、②20〜60歳の社会人・主婦層も視野に入れ、ターゲットとして訴求していくことにしましょう。

> **Key Point** 可能なかぎりターゲットを決めた後で、AIDMAなどのさらに下流のフレームワークに移りましょう。アプローチするターゲットの「顔」が見えない(どんな人かわからない)段階で細かい分析を行おうとしても、議論のピントがズレてしまいます。

さてチェスをプレイするまでの条件を、

注意・興味(Attention/Interest) → 欲求(Desire) → 行動(Action)

の3ステップに分解します。

注意・興味:「存在を知る」(Attention:注意)だけの段階と、さらに興味を持って「ルールを知る」(Interest:興味)段階の2つがあります。

チェスの存在は多くの人が知っていますが、おそらくルールを知らない人がターゲット層の8〜9割を占めるのではないでしょうか。

欲求：チェスをプレイする際、チェスそれ自体を「目的」として行うか、何らかの目的のための「手段」として行うかの2通りが考えられます。「目的」としてのチェスとは、チェスそれ自体のおもしろさを楽しむためのプレイ、「手段」としてのチェスは、友人との交流や頭の体操のためといったプレイのことです。

行動：チェスをやりたいという欲求が沸いたとして、いざチェスをプレイ（行動）できるための環境条件として、対戦相手である「ヒト」と対局場所やボード・駒という「モノ」が必要になってきます。

　現在、チェスの環境には「リアル」と「バーチャル」の2つがあります。「リアル」ではルールがわかる対局相手（「ヒト」）は周囲に少なく、また囲碁でいうところの碁会所（囲碁を有料で打つことができる場所、「モノ」）もほとんど見当たりません。一方、「バーチャル」上ではオンライン対局サイト（「モノ」）が充実しており、そこに行けば対局相手（「ヒト」）も容易に見つけられる状況になっています。

　以上を1枚の地図に落とすと、以下のようになります。

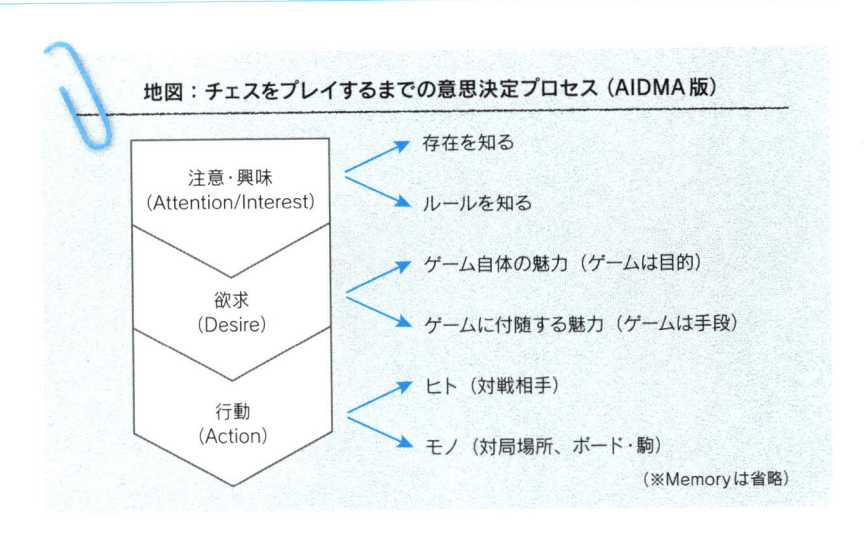

地図：チェスをプレイするまでの意思決定プロセス（AIDMA版）

```
注意・興味          → 存在を知る
(Attention/Interest) → ルールを知る

欲求                → ゲーム自体の魅力（ゲームは目的）
(Desire)            → ゲームに付随する魅力（ゲームは手段）

行動                → ヒト（対戦相手）
(Action)            → モノ（対局場所、ボード・駒）
```
（※Memoryは省略）

(ⅲ) ボトルネック特定

①と②の層に共通

・「リアル」での対局環境（「ヒト」＋「モノ」）

「バーチャル」の対局環境は無料の対局サイトやFacebookなどのSNSのゲームの形で十分に整備されています。一方で「リアル」の対局機会はかなり限られており、チェスの「交流ツール」としての魅力が発揮されていないのではないかと考えられます。

①の層に関して

・ルールの認知率

存在は知られていても、ルールはあまり知られていません。少しずつプレイしながらでいいので、若いうちにルールを体に吸収してもらうことが不可欠になるでしょう。

・チェスのゲーム自体としての魅力を知る機会

吸収力があり時間もある学生のうちに、将棋や囲碁と同様、ルールを覚え、定期的にチェスを楽しむという行動様式を身につけてもらう必要があるでしょう。

②の層に関して

・チェスの付随的な魅力・オシャレなイメージ

　ルールは知っているものの、現在はプレイしていない休眠層を主にターゲットとします。多少チェスと接点はあるものの、チェス自体のゲームの魅力というよりも、人との交流手段や地頭のトレーニングなど、付随的なメリットを訴求しないと難しいと考えられます。また、「西洋のオシャレな知的ゲーム」といったイメージの演出から攻めるのも手かもしれません。

（ⅳ）打ち手立案

　ターゲットとする2つの層でボトルネックは共通ですが、それぞれの層は生活様式が違うのでそれぞれに有効な打ち手を考えます。

①0～20歳の若年層に対して

1. 学校でチェスレクチャーを実施、クラブ活動などへの導入を図る

　小中高校の特別授業や放課後を使って、チェスの指導員が「出張レクチャー」をしてルールを教えることが考えられます。高校や大学のチェス部員が出張して、教えに行くのもよいかもしれません。その際に「ボードの無償配布」をし、プレイ環境を整え、チェスに理解のある教師や父兄の賛同を得て、「クラブ結成を促進」していく（「リアル」の環境整備）のがいいでしょう。

　究極的には海外のように、一般教養の一環として「総合学習への導入」を目指すことが考えられます。国際交流イベントとして海外学生を誘致し、チェスでの交流を図るのもおもしろいかもしれません。

②20～60歳の社会人・主婦層に対して

2. 大人向けのチェスの場を提供する

　若年層のようにまとまった時間はとれないので、飛行機のゲームや旅館・ホテルでの貸し出しゲームなどの「レジャー時間・空き時間にチェスを導入」してもらえるよう働きかけるのがいいでしょう。

またチェスのオシャレなイメージを活かして、話題作りに「チェスカフェ／バー」のようなニッチなサービスを立ち上げるのはどうでしょうか（「リアル」の環境整備）。また、チェスの知的な面を活かして、「地頭トレーニング」であるというチェスの魅力を強調し、本や雑誌にアピールしていくのはどうでしょう。これらを通して、大人の休眠層の掘り起こしを震源としたチェスのブレイクを目指します。

①・②2つの層に対して
3. チェス関連のメディアコンテンツを制作する

また、「チェスをテーマにしたアニメ・マンガ・ドラマを制作」して、イメージアップを図ることも考えられます。将棋の『月下の棋士』や囲碁の『ヒカルの碁』などのチェス版を制作して、ブームを喚起できればいうことはありません。

さらに、フィギュアスケートの浅田真央さん、ゴルフの宮里藍さんのような、「チェス界のアイドルを発掘」し、メディアへの出演を通して知名度の向上を図ることもできそうです。チェスでもプロ並みの実力を持つ将棋界の有名棋士、羽生善治さんや森内俊之さんなどの力を借りてもよいかもしれません。

ある程度、チェスの存在感が増したら、チェスの教育番組や日本・世界大会の中継などの「テレビ放映」を目指していくといいでしょうか。

(ⅴ) 打ち手評価

以下、優先順位の高い順に打ち手を並べてみました。

1. 学校でチェスレクチャーを実施、クラブ活動などへの導入を図る

小中高校への展開は、吸収力・時間もあり、まだ他のゲームに触れていない層に訴求できるので大変貴重です。将棋や囲碁同様、ルールを教え、チェスの楽しさを体得してもらえれば、あとはプレイ環境を整備することでチェスを続ける学生が一定確率で生まれると考えられます。

2. 大人向けのチェスの場を提供する

　社会人・主婦層への打ち手に関しては、彼らの時間不足をうまくカバーしてはいるものの、彼らがチェスをプレイするメリットを打ち出すのがネックになるでしょう。「地頭トレーニング」に惹かれる層はそこまで多くないと推測されるので、別の魅力的な訴求方法を考える必要がありそうです。

3. チェス関連のメディアコンテンツを制作する

　「イメージ戦略」については、そもそもチェスがあまり目立たない現状において、チェス関連のコンテンツを作成したり、公開したりするのは、出版社やテレビ局にとってメリットが少なく、実現性が低いです。またヒットするかに関して確証が持てません。

〈反省と今後の課題〉

- チェス人口の定義は直感的に「1カ月に1回以上のプレイ」を条件としてしまいましたが、一般的なスポーツなどの競技人口の定義からは外れています。国立国会図書館のホームページではスポーツの競技人口を調べる人に向けて、さまざまなスポーツについて「成人が年1回以上実施している人口」を示した資料を紹介しているようです。
- 分析の中でチェス特有の要素を活かしきれたかというと疑問が残ります。たとえばもし題材が「オセロ人口」だったとしても似たような打ち手になってしまいそうな感があります。チェス個有の特徴を踏まえたより細かい分析が肝要かと思われます。

Case 2: 大相撲の観客数を増やすには　難易度 B

同様に大相撲観戦に行くまでの意思決定のプロセスを洗い出してみましょう！伝統競技であるため、どこまで革新的な打ち手が許されるか、難しいところです。

Private ケース

Project 3 ホノルルマラソンの日本人参加者を増やすには

難易度 B

（ⅰ）前提確認

　ホノルルマラソンはハワイの州都・ホノルルで毎年12月2週目に開催される、時間無制限の初心者にもやさしいマラソン大会です。フルマラソン、車椅子マラソン、約10kmを歩く「レースデーウォーク」に加え、大会の前にもパーティーなどの諸イベントが開かれており、来場者を楽しませています。JALがメインのスポンサーを務めており、毎年2万人以上が参加し、なんとその過半数が日本人です。

　「**さらなる日本人参加者を呼び込めないか**」、大会主催者から相談を受けたとしましょう。エントリーは、旅行会社のツアー、個人申し込み、現地での直前4日間の飛び入りの3種類があります。

（ⅱ）現状分析

　今回の課題の対象である日本人を、**マラソン経験の有無（マラソン興味・適性）×週1回以上の運動習慣の有無（体力）**で分解してみました。

地図：ホノルルマラソン出走者のセグメンテーション

マラソン経験 ＼ 週1回以上の運動習慣	あり	なし
あり	A	B
なし	C	✕

PART 2　9パターンのコア問題で、問題を解く力を効率的に鍛える！

セグメントのVolumeは、D＞B＞C＞Aだと思われますが、D：マラソン経験も週1回の運動の習慣もない層に関してはホノルルマラソンに呼ぶうえで、興味・適性の面・体力の面、いずれの面でも難しいので、A・B・Cをターゲットにします。

> **Key Point** マトリクスを作る際に、年齢や職業といった型どおりの軸ではなく、ターゲティングやその後の分析に役立つようにマラソン経験と運動習慣の軸で切っています。層に分解した後のターゲティングではVolume×Potentialの視点を意識しています。

次に、ターゲット層がホノルルマラソンに参加するまでに経由する、

（A）注意（Attention）→（B）興味/欲求（Interest/Desire）
→（C）行動（Action）

の3ステップを考えてみましょう（Project 2のチェスとはAIDMAの使い方を微妙に変えています）。

（A）注意（Attention）：ホノルルマラソンは歴史あるマラソン大会であり、知名度が高いです。またテレビでもタレントが大会に挑戦するドキュメンタリー風の番組も放映しており、みな大会の存在自体は知っているというケースが多いと考えられます。

（B）興味/欲求（Interest/Desire）：興味を持つ誘因となるホノルルマラソンの魅力をマラソンの競技一般の魅力（「一般」）とホノルルマラソン特有の魅力（「特殊」）に分解します。
マラソンの競技一般の魅力はどの大会でも共通するマラソンの魅力、ホノルルマラソン特有の魅力とは世界的観光地・ホノルルで大会を行うことによるレジャー的側面、豪華なゲストランナーとの併走、レースの前後のパーティーといったイベント性などが挙げられます。

単に マラソンの競技一般の魅力 だけでは、日本人参加者がわざわざ海を越えてホノルルマラソンに参加する強い理由にはなりえないため、ホノルルマラソン独自の魅力を伝えていくことが重要になります。

(C) 行動 (Action)：実際に応募のアクションに移すには マラソン競技一般の障害（「一般」）と ホノルルマラソン特有の障害（「特殊」）があると考えられます。前者には 走破力、用具購入のコスト、後者には 交通費・滞在費・大会参加費などのコスト、大会参加にかかる時間、パスポート取得 などの手間が挙げられます。

走破力 とはフルマラソン42.195キロを走る走力（持久力＋脚力など）のことです。用具購入のコスト はスキーやボーリングといった他のスポーツに比べ相当安価であり、さらに手持ちの運動着やシューズで代替可能でもあります。

交通費・滞在費・大会参加費などのコスト はツアーでもトータルで20万円ほどかかります。大会参加費は応募時期にもよりますが2万円弱なので、いくらか削減しても参加者を増やすほどのインパクトにはならないと考えられます。時間 はツアーだと最低4日程度とられることになります。

以上を1枚の地図に落とすと、以下のようになります。

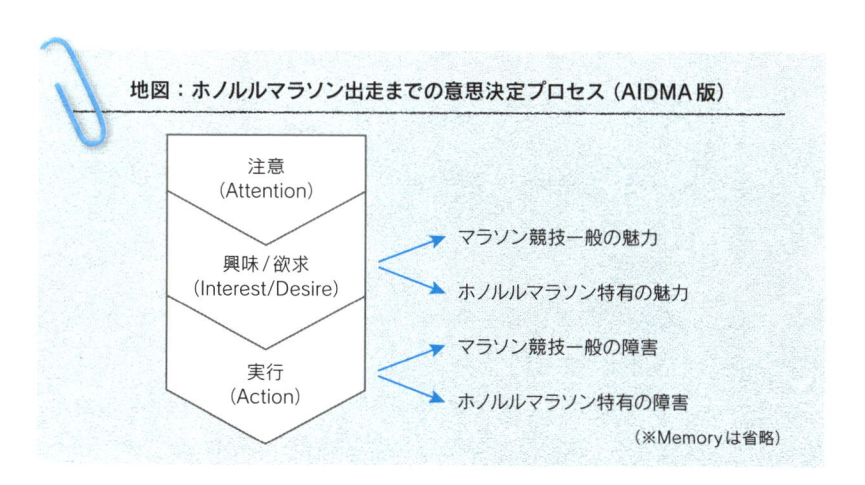

地図：ホノルルマラソン出走までの意思決定プロセス（AIDMA版）

- 注意 (Attention)
- 興味/欲求 (Interest/Desire) → マラソン競技一般の魅力／ホノルルマラソン特有の魅力
- 実行 (Action) → マラソン競技一般の障害／ホノルルマラソン特有の障害

（※Memoryは省略）

(iii) ボトルネック特定

(A) 注意 (Attention)

上記のように、ホノルルマラソンは週1回以上の定期的運動をする層では多少、マラソンに関心のある者ならほぼみな知っているし、今回のターゲット層においては、ここはボトルネックではなさそうです。

(B) 興味／欲求 (Interest/Desire)

一般的にマラソン経験者にとっては憧れの大会であり、一定の興味があるでしょうが、マラソン未経験者は「かなり大きな海外の市民マラソン大会」程度の認識しかなく、レジャーとしての魅力や、大会前後のイベントなどは知らないのではないでしょうか。この層には==マラソンの競技一般の魅力==で訴求できない分、==ホノルルマラソン特有の魅力==や新たな価値を打ち出していく必要があります。

(C) 行動 (Action)

用具購入のコストやパスポート取得などの手間はさほど大きくないので、==交通費・滞在費・大会参加費などのコスト（以下、コスト）==、==時間==、==走破力==という3つが主な応募障壁です。これらの障壁は多忙な現代人にはかなり高く、ホノルルマラソン出走に興味・欲求もあるものの、応募をためらっている人は多いと考えられます。==コスト==ではツアー費用の大部分である飛行機のチケット代と宿泊費の割引が課題かもしれません。

==時間==に関しては、短縮はできなくとも、日本人の休暇時期にかぶせるなど時期の調整は可能でしょう。

==走破力==に関してはハーフマラソンの開催などで、ハードルを下げることができそうです。

(iv) 打ち手立案

1. 豪華ゲストを招待する

初心者が好みそうなタレントや有名マラソン選手（高橋尚子さんなど）、できるならアメリカで活躍する日本人俳優やオフシーズンのスポーツ選手

（松井秀喜さんなど）を呼び、ホノルルだから会えるゲストとします。憧れの人と走れるなら、海を越えたいファンも出てくるかもしれません。

2．航空チケット代・宿泊費を割り引く

メインスポンサーであるJALに協力をあおぎ、マラソン参加者への航空運賃割引をしてもらうのはどうでしょうか。もしくは、ホノルル市や市民の協力を得て、ホテル・宿泊所やホームステイの割引提供をしてもらうことも考えられます。ホノルルの活性化、国際交流の促進になるうえ、将来は観光客としてのリピートにつながるかもしれません。

3．日程を変更する

日程を年末年始などに移し、社会人が参加しやすいようにします。年越しをホノルルで走り、初日の出を迎えるというイベントもおもしろいかもしれません。

4．初心者向けのハーフマラソンの立ち上げと手軽さのアピール

新たに「ホノルル・ハーフマラソン」を設けるのはどうでしょうか。さらに時間無制限のルールをアピールするなどが考えられます。

（ⅴ）打ち手評価

以下、優先順位が高い順に打ち手を並べました。

4．初心者向けのハーフマラソンの立ち上げと手軽さのアピール

さほど大きなデメリットなく実行でき、フルマラソンまでは走れない人を呼び込める可能性がありそうです。1年目ハーフマラソンで出た人が、翌年フルマラソンに挑戦したくなる、というリピートを呼ぶ効果もあるでしょう。

2．航空チケット代・宿泊費を割り引く

コスト負担の削減は、とくに金銭的余裕がない大学生・若い社会人の層

に効果がありそうです。しかし、JALやホノルル市のホテル・宿泊所にとって、マラソンの時期は稼ぎ時ですから、値下げへの抵抗感があるでしょう。ホノルル市が、打ち手によりマラソン客が増加した場合の観光業界からの税収の増加分を見越して、その範囲内でJALや宿泊施設に補助を出してもらえるように、主催者は市との交渉の余地がありそうです。

3. 日程を変更する

年末年始などの長期休暇に行うようにすれば、社会人や家族連れは参加が容易になるため参加者は増えそうです。しかし、このプランの実現可能性は高くないと考えられます。なぜなら現在、ホノルル市・スポンサーのJAL共に、大会の有無に関わらず観光客で混雑する休暇中ではなく、閑散期に観光客を増やしたいという意図で大会を運営していると考えられるからです。

1. 豪華ゲストを招待する

たしかにマラソン初心者の興味を惹きそうですが、アメリカで活躍する大物日本人までを呼べるかの確証は持てません。

〈反省と今後の課題〉
・近年は芸能人やマラソン以外の競技のスポーツ選手が例年10人以上参加しており、有名人を活用した参加者増加の戦略は現状でもかなり実行されているようです。他のマラソン大会を見ても、有名人で一般の人の参加を引き出す方法はポピュラーなようです。
・ターゲットを決める際に使った「マラソン経験があるか否か」という軸は「未経験者・初心者・中級者・上級者」と一般化することで、スポーツなどに関するケースで使える汎用的なフレームワークになりそうです。各ケースにあった形に調整することで広く活用できると思われます。

Case 3: スキー場の来場者を増やすには

難易度 C

一般的にマラソンは安・近・短のスポーツ(ホノルルは別)ですが、スキーはまさにその逆を行く高・遠・長のレジャースポーツで、全国のスキー場来場者は年々、減少を続けています。長野県S高原のスキー観光協会の会長さんから相談を受けたとして、S高原スキー場の来場者を増やすための打ち手を考えてみてください。なお、S高原は低価格路線で学生・20〜30代の若手社会人に定評を得ているとします。

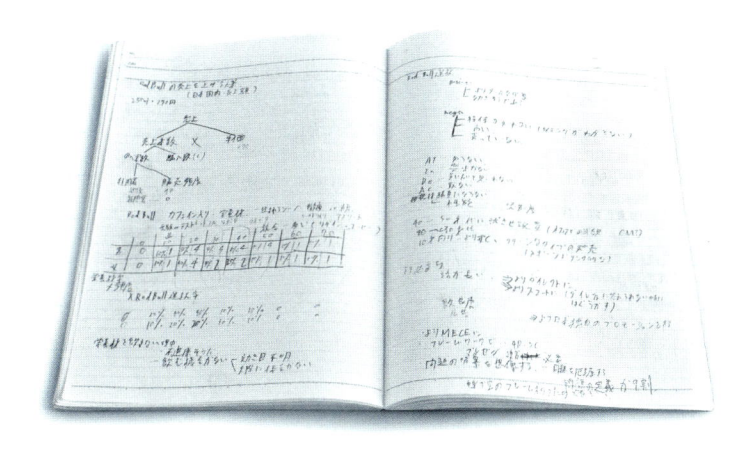

▲実際にケース問題を解いたノート。キレイに書くというよりは、考えたことをなるべく早く紙に落とし込むことを重視した書き方になっています。

CoLuMn ②

ケースのストックのすすめ

　本書ではフレームワークをストックする重要性をかなり強調してきましたが、解いたケースのプロセスをストックしておくことも実は大変有効です。

　経営者がビジネスケースを、医者が症例を、弁護士が判例を、棋士が棋譜を、受験生が英語例文を覚えるように、問題解決者（Problem Solver）は問題解決ケースを1つずつ貯めていく必要があります。

　ケースは過去の問題解決の軌跡です。そのパターンを頭の引き出しに入れておけば、新たな問題に直面したときに、実際の「リアルな経験」には劣っても、「バーチャルな経験」として取り出すことができます。

　美しいケースの中にはロジックの流れやフレームワークの使用法のうまい「パターン」が多く見られ、それらは往々にして再利用できることが多いです。新しい問題に対しても、過去のケースを踏み台にして、それを少々改造して対応すればよいので、「問題解決のショートカット」が可能になるのです。

　実際、問題解決ケース210問に取り組んでいただければわかりますが、その多くは本書で扱ってきたProjectやCaseのどれかの解法に似ており、「どこかで見た景色」が現れるはずです。貴重な「バーチャルな経験」を風化させないために、一度自分の手で解いたケースはノートやルーズリーフに書いて、保存しておくことをオススメします。

Public ケース

Project 4 花粉症患者を減らすには

難易度 B

(ⅰ) 前提確認

日本で2000万人以上がかかっているという国民病ともいうべき花粉症。東京都では1996年の調査時に19.4％だった推定有病率が、2006年には28.2％になるなど、患者数は増加傾向にあります。これらの花粉症患者は花粉の季節になるとくしゃみ、鼻水、鼻づまり、目のかゆみなどの不快な症状に苦しめられることになります。

花粉症患者が増加し続けてきている状況を重く見た東京都から「都民への花粉症被害を軽減したい」と相談を受けたとしましょう。

なお、「花粉症被害の軽減」を「花粉症の症状を呈する都民の人数の減少」と定義し、簡単のため、本問では花粉症の最もメジャーな原因であるスギに話を絞ります。

(ⅱ) 現状分析

はじめに、花粉症が起こるメカニズムを確認しておきましょう。花粉を吸引しその蓄積が臨界量を超えることにより、人体の防衛作用から免疫を獲得してしまい、過剰な免疫反応としてのアレルギーが起こる。これが花粉症です。

ここで、花粉症の症状発生までのプロセスは、

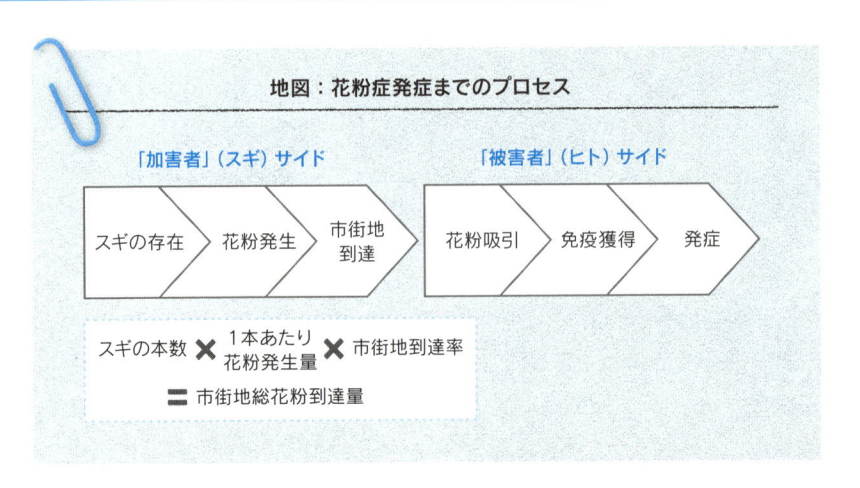

```
┌─────────────────────────────────────────────────────┐
│            地図：花粉症発症までのプロセス            │
│                                                     │
│   「加害者」（スギ）サイド      「被害者」（ヒト）サイド│
│                                                     │
│   ┌─────┐┌─────┐┌─────┐   ┌─────┐┌─────┐┌─────┐    │
│   │スギの│花粉 │市街地│ │ │花粉 │免疫 │発症 │     │
│   │存在 │発生 │到達 │  │ │吸引 │獲得 │     │      │
│   └─────┘└─────┘└─────┘   └─────┘└─────┘└─────┘    │
│                                                     │
│   ┌─────────────────────────────────────────────┐   │
│   │ スギの本数 ✗ 1本あたり ✗ 市街地到達率        │   │
│   │             花粉発生量                       │   │
│   │        ＝ 市街地総花粉到達量                  │   │
│   └─────────────────────────────────────────────┘   │
└─────────────────────────────────────────────────────┘
```

と示せます。

> **Key Point**　AIDMAと同様な段階ステップ型のチャートを使って、時系列で結果発生までのプロセスをまとめたものです。問題解決に必要な範囲の細かさで、できるかぎりMECEに作りましょう。

プロセス全体は、人が間接的に関わる部分（「加害者」サイド）と、人が直接的に関わる部分（「被害者」サイド）に分けられます。

スギ花粉という「加害者」が絡む左のフローにおいては、

スギの存在→花粉発生→市街地到達

という3ステップとなり、市街地に到達したトータルのスギ花粉到達量を、

(A) スギの本数 × (B) 1本あたり花粉発生量 × (C) 市街地到達率

で表すことで定式化できます。

さらに、右のフローにおいて、人間という「被害者」が、

(D) 花粉吸引 → (E) 免疫獲得 → (F) 発症

という3ステップを踏むことになります。

(iii) ボトルネック特定

発生した花粉が、(C) 市街地到達することを抑えるため、アスファルトを減らし土の地面を増やすことで、落下した花粉のバクテリアによる分解を促進する対策も、現実に行われているようです。しかし、局所的な打ち手にとどまるため、ボトルネックとしては十分でないと思われます。

また、現在の医学では花粉を吸引したあとに (E) 免疫獲得を抑制する方法はないようです。

よって、このケースでは残りの (A) (B) (D) (F) の4つにフォーカスすることにします。

(iv) 打ち手立案

1. スギを他の品種で代替する(→(A) スギの本数)

スギの単純伐採を行う方法と、スギを別の植物で代替する方法が考えられます。森林が保水機能や地盤の保持機能を担っていることを考えると、後者がより現実的でしょう。

2. スギ林の手入れをする(→(B) 1本あたり花粉発生量)

スギは材木にするときは若い樹齢で伐採されますが、手入れを怠ったまま、ある樹齢に達すると盛んに花粉を飛ばすようになるといいます。現在、管理人不足でスギ林が荒れているので、東京都が業者に早急に伐採を依頼し、スギ林を整えるのはどうでしょうか。

3. マスクやメガネの着用を推奨する(→(D) 花粉吸引)

花粉に対する直接的な防衛策として、患者・非患者を問わず、都内の小

中高校を中心に指導を徹底することが考えられます。患者の多くはマスクを着用しますが、患者ではない人は花粉との接触を続ければいずれ免疫を獲得する可能性があることを自覚せず、マスクを着用していないことが多いと思われます。

4．症状抑制の薬剤の開発を推進する(→(F) 発症)

根本治療法はないので、アレルギーを抑える投薬治療、目薬、鼻のレーザー治療などの対症療法がメインになるでしょう。東京都がより効果的で副作用の少ない抗アレルギー剤の開発援助を大学や民間の研究機関に行うのはどうでしょうか。

（ⅴ）打ち手評価

以下、優先順位が高い順に打ち手を並べました。

2．スギ林の手入れをする

花粉の源である荒れたスギ林だけに絞って手入れすることで、花粉の発生量の劇的な減少をもたらし、かつ株全体を植え替えるより、より効率的に作業が完了できるはずです。ただし、今後も管理が継続的になされるよう、スギ林の所有者に働きかけていく必要があります。

3．マスクやメガネの着用を推奨する

現在もやられているありきたりな打ち手ではありますが、最も安価で簡単に行うことができ、一定の効果が期待できます。現状では患者・非患者問わず、十分な花粉吸引防止策をとっていないのを見れば、まだまだ打ち手が浸透する余地があるでしょう。

1．スギを他の品種で代替する

たしかに荒れたスギ林を他の無害な品種に植え替えていくことで、実現すればスギによる花粉症をかなり減らせるでしょう。しかしスギの保水効果や地盤の維持効果などを考えると、一気に進めると洪水・がけ崩れの危

険があるため、段階的に進めざるを得ません。すると効果が出るまで長期間かかり、相当額のコストも予想されるため、あまり効率的な方法ではないでしょう。

4. 症状抑制の薬剤の開発を推進する

新薬開発はどうしても成果を長期間待たねばならないうえ、成果自体も不確実です。またすでに、毎日服用しても副作用が少ない抗アレルギー剤や鼻づまりの薬は存在するので、これ以上の改善は優先度が低いのではと思われます。

〈反省と今後の課題〉
・チャートにして全体像から分析してみたものの、結果的にはありそうな打ち手が並んでしまいました。より独創的な案が出なかったのが残念です。
・補足ですが、スギ林の手入れ、品種の代替のためのコストとして、「花粉税」と題してマスク、薬、目薬などの花粉対策グッズに税金をかけるのはどうでしょうか。

　第一生命経済研究所の試算によれば、患者が花粉症対策に用いる費用(俗に花粉症特需)は639億円に上る一方、経済効果(マスク、空気清浄機などの花粉対策グッズの売上)は約1000億円のようです(ただし、文部科学省の調査によれば、2005年1〜3月期の経済損失(娯楽費、外食費、食糧費の減少)は数千億円)。

　税率5%で25億円以上、人口からして東京都だけでも2.5億円以上は見込めるでしょう。都が行う花粉の少ない森作り運動の募金に4年間で7000万円しか集まらなかったことを考えると、ありえる打ち手ではないだろうかと思われます。

Case 4: 交通事故を減らすには　難易度 B

簡単のため、電車や船舶や飛行機事故は除き、自動車(二輪・四輪)が絡む事故に限定して考えてください。交通事故の発生原因をどう地図化しますか?

Public ケース

Project 5 東京からカラスを減らすには

難易度 A

(i) 前提確認

東京の都心部では山間部からカラスが多く飛来・定住し、ゴミ箱を荒らしたり、洗濯物を盗んだり、繁殖期には人を攻撃したりと、都民に危害を加え、かつて社会問題となりました。

都庁に寄せられたカラスに関する相談件数は、ピーク時の2002年度の3820件から2008年度には712件となり、かなり鎮静化しました。

ここでは、カラスに苦しむ2002年当時の東京都から、「カラスの数を減らせないか」と相談があったとします。都民の生活の平和を守るため、対カラス戦略を立案しましょう。

なお、ここでは東京のカラスを「都心部のカラス」と定義し、その生息数を減少させることを目標とします。

(ii) 現状分析

カラスを減らすアプローチとして、カラスの生存環境を崩し、自然減少に仕向けるための「間接」的な方法と、カラス自体に対処する「直接」的な方法があります。

まず「間接」的な方法をとるにあたって、そもそものカラスの生存要件を考えてみましょう。ここでは「衣」「食」「住」のフレームワークが使えます。カラスは洋服を着ないので、「食」と「住」が整えば、カラスが生息することになるでしょう。

よってカラスの自然減少を目指すには、カラスの栄養源である「食」を叩くか、カラスが作った巣である「住」を叩くか、の2つの方向性が考えられます。

「食」に関しては、生ゴミか、新たに人がやったエサかに分けられます

が、カラスにわざわざエサをやる奇特な人は少ないと思えるため、ここでは生ゴミにフォーカスします。

さらに、生ゴミの形態として、違法な投棄と合法な廃棄に分けられます。投棄されたものはいわゆるポイ捨てゴミであり、廃棄されたものには地域のゴミ置き場と路上・公園に設置されているゴミ箱があります。

「住」に関しては、民家、オフィスビル、駅などの「私有地」と公園、電柱などの「公有地」に分けられます。

「直接的」な方法としては、カラスを殺傷（猟銃による銃殺や毒団子による毒殺など）するか、捕獲（罠、網など）するかの、2つの方向性が考えられます。

以上を1枚の地図に落とすと、以下のようになります。

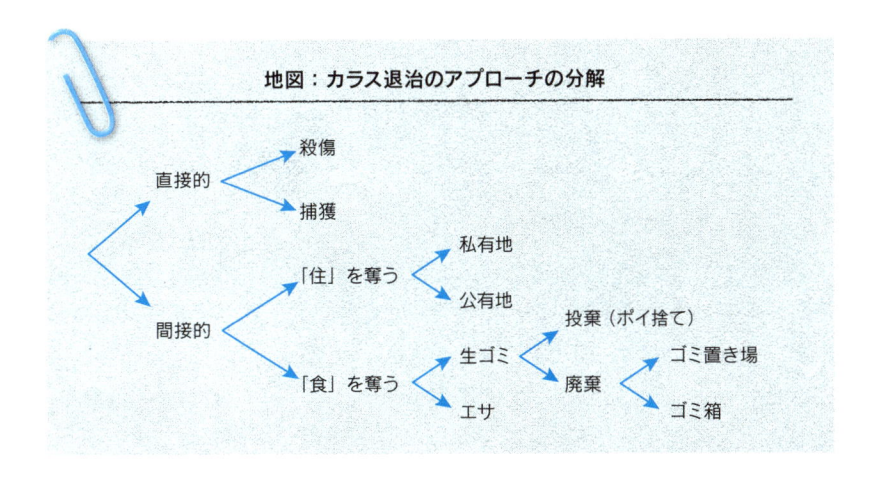

地図：カラス退治のアプローチの分解

- 直接的
  - 殺傷
  - 捕獲
- 間接的
  - 「住」を奪う
    - 私有地
    - 公有地
  - 「食」を奪う
    - 生ゴミ
      - 投棄（ポイ捨て）
      - 廃棄
        - ゴミ置き場
        - ゴミ箱
    - エサ

> **Key Point**　「直接的」にカラスを減らす対症療法と、「間接的」に解決を図る原因療法の2つがあります。時間はかかる一方で問題の根本的解決を図れる原因療法のほうに注力した地図になっています。

(ⅲ) ボトルネック特定

「食」に関してはビニール袋や網に入っているだけで野ざらしになって

いるゴミ置き場の生ゴミが課題となります（網目からクチバシを入れてゴミ袋をやぶり、中身をつついている光景はよく目にします）。路上のゴミ箱は、箱に入っているため、カラスが侵入するのはゴミ置き場ほど容易ではなさそうですが、何らかの対応が必要でしょう。ポイ捨てゴミに関しては、食べ物が無闇にポイ捨てされることは、感覚的にそこまで多くないと思われるので、ここでは除外します。

「住」については私有地は管理人がいるため、カラスが巣を作るために落ち着いて定住できないし、カラスの巣ができても、管理人が巣を撤去するでしょう。よって、量的には管理人不在の公園、電柱などの公有地が多いと思われます。

カラスを減らす方法の殺傷に関しては猟銃による射殺や毒団子の設置が考えられますが、都内で行うと猟銃でカラス以外の人、モノを撃ってしまったり、毒団子を散歩中のペットが誤って食べてしまったりという被害が出るかもしれません。その意味では捕獲のあと、業者に処分や去勢を委託するほうが安全でしょう。

(ⅳ) 打ち手立案

1. 堅牢なゴミ収集箱を設置する

プラスチック製・金属製の開閉式のゴミ収集箱をゴミ置き場や公園に設置して、カラスの「食」を断つことが考えられます。現状であまり進んでいないのは、私人にとって設備を整えるまでのインセンティブがないためだと思われますので、条例で設置を義務化するか、ゴミ収集箱を無償配布するのが有効でしょう。

2. 巣の撤去を図る

主に公有地からの通報を受けて、委託業者が人海戦術で定期的に巣の撤去を進めるのはどうでしょうか。春から夏にかけての産卵期にとくに力を入れて行うことで、繁殖を効率的に抑制できるでしょう。

3. 捕獲する

業者に委託して、カゴ、網などのトラップを用い、強制的に処分・去勢してもらうことが考えられます。私有地とくらべてカラスの巣が放置されている可能性が高い公有地で行うこととしましょう。

(ⅴ) 打ち手評価

以下、優先順位が高い順に打ち手を並べました。

1. 堅牢なゴミ収集箱を設置する

カラスの最大の食料調達元を絶つことで、カラスの生息・繁殖を抑制できるでしょう。ゴミ収集箱の無償配布は導入時に大きなコストがかかりますが、長期的に見ればさほどランニングコストはかからないはずなので、十分な費用対効果が期待できそうです。

3. 捕獲する

短期的には確実に効果があると思われます。しかし、トラップにカラスがかかったあと、騒音のため放置しておけないので、そのつど回収に行かなくてはならず、コスト制約から捕獲量には限度があります。また、強制的にカラスを減らすと、残ったカラス1羽あたりの食が増えるため、かえって居住環境がよくなって繁殖が進んだり、他地域からの流入が進んだりして、長期的にはもとの数に近づいてしまうのではないでしょうか。

2. 巣の撤去を図る

高所にあるカラスの巣を撤去するのは困難なうえ、一度撤去してもまた作られてしまったら終わりです。枝や葉っぱ、もしくはハンガーなど巣の材料は都市にあふれているようなので、巣を作り直すのはカラスにとって難しくないと考えられます。

〈反省と今後の課題〉

・カラスの都内生息数は、2002年の3万5200羽から2008年には2万1200羽にま

で減少しています（東京都調べ）。都の打ち手として防鳥ネットの設置、ゴミの早朝回収の推進、巣の撤去など、本問で挙げたものと近い打ち手がとられています。特筆すべきは2002～2008年の7年で10万1182匹（同）もの捕獲を行っていることで、意外にもかなりの強硬策をとっていました。
・この問題に限り、そもそもカラスはなぜ都心で生きられるかという生存要件のみならず、実際にカラスを減らすための打ち手の方向性をも含んだ、やや特殊な「地図」になっています。

Case5: 万引きを減らすには　難易度 B

都内の中学・高校の近くに立地し、中高生から万引きの被害を受けているスーパーXの被害額を減らすための打ち手を考えてみてください。まずは被害額をかけ算で分解してみましょう。

▲とくに参考にしたのは、この3冊です。ぜひ一読をオススメします。
齋藤嘉則著・株式会社グロービス監修『問題解決プロフェッショナル』ダイヤモンド社
渡辺健介『世界一やさしい問題解決の授業』ダイヤモンド社
大石哲之『過去問で鍛える地頭力』東洋経済新報社

Public ケース

Project 6 年間献血量を増やすには

難易度 C

（ⅰ）前提確認

現在、日本では輸血・血液製剤用の血液が慢性的に不足しています。厚生労働省の調査によると、年間献血者数は1994年では661万人でしたが、2008年には23％減の508万人まで減少しているといいます。

認可法人・日本赤十字社から**「どうしたらもっと血液を集められるか」**考えてほしい、と相談があったとします。年間献血量を増やすための打ち手を考えてみましょう。

現在、献血は献血ルーム、献血センターなどの常設施設と街頭を回る献血バスで行われています。同社では健康上の理由から、献血者を「16～69歳で、健康に関する諸条件を満たす人」に限定しており、本問ではその方針を遵守することにします。

（ⅱ）現状分析

まず、年間献血量をかけ算に分解してみましょう。

地図：年間献血量の因数分解

年間献血量 ＝（A）国内総人口 ×（B）献血率 ×（C）年間献血回数
　　　　　×（D）1回あたり献血量

Key Point 因数分解できる問題では、まずはとにかく式にしてしまう癖をつけるとよいでしょう。複数の切り方が考えられるフレームワークとくらべ分解方法が限られてくるため、納得感があります。

(A) 国内総人口：(ⅰ)前提確認の通り、16〜69歳の約9000万人が対象になります。

(B) 献血率：日本で献血をする人は献血可能年代の人のうち、現在10％以下であるようです。日本赤十字社では献血率を上げるためにテレビCMを行ったり、新宿や渋谷といった都心に献血ルームを設けて、献血者へのサービスとして飲食物や粗品を提供したりしています。

献血している層を生活様態でざっくりと分解してみましょう。16歳以上ということで学生、社会人、主婦、高齢者、が大半を占めると考えられます。

学生は献血への時間的余裕や献血に耐えうる体力があり、かつ健康な血液が採取できるのでターゲットに最適でしょう。

社会人は多忙で献血時間がとりにくいのと同時に、金銭的に余裕があるので献血のお礼でもらえる飲食物や粗品に若者ほど価値を感じないと考えられます。よって現状では献血をしている人の割合は多くないと推測できますが、層としては5000万人ほどで最大のため、うまく取り込む必要があります。

主婦は比較的、時間的余裕があり、お礼の品への感度も社会人よりは高いのではないでしょうか。ただ主婦に集団的にアプローチできる機会は社会人・学生に比べると少なく、ターゲットとしては難しいと考えられます。

高齢者に関しては、健康上の条件を満たさない人が相対的に多いうえ、また自身の健康への関心が高く献血に抵抗があり、ターゲットにはならないでしょう。

(C) 年間献血回数：制度的には2〜16週間ごとに行うことができます

（献血の種類・性別によって異なります）。ごく少数の人は年に何度も訪れるようですが、多くの人は定期的に訪れることはないのではないでしょうか。現在、献血カードを献血者に提供して記録をとり、一定の回数に達した人を表彰して記念品を進呈をしているようです。

(D) 1回あたり献血量：献血には「200ml献血」「400ml献血」、そして特定の血液成分のみを抽出する「成分献血」の3種類があります。本問では簡単のため、成分献血は除いて考えるものとします。同社では条件に合う人には基本的に400ml献血を奨めることで、献血者数の減少を補っているようです。

(ⅲ) ボトルネック特定

(A) 国内総人口については、少子化対策（国内の人口増加）と移民受け入れ（海外からの人口流入）の2つの方法が考えられますが、両者とも日本赤十字社には手が負えない政策的問題です。

(D) 1回あたり献血量については、健康上の配慮から、現状の採血量の上限400mlはなかなか増やしにくいと思われます。また、同社は200mlではなく400mlを奨める方針をすでにとっており、400ml献血が可能な人の多くは400ml献血をしているため、改善の余地はきわめて小さいです。

よって、残る (B) と (C) に焦点をあててみることにします。

(B) 献血率

（ⅱ）現状分析を踏まえて、学生層と社会人層の2つのターゲットとして考えます。

ここで人が献血をする際の意思決定について、プラス・マイナス両面から考えてみます。
個人の献血への「Incentive」には「精神的」と「物理的」の2種類があ

り、「精神的」には輸血を受ける人の健康を守っているという「他者への貢献の満足感」が該当します。「物理的」なものには献血のたびにもらえる粗品や、一定回数の献血を行った際に受け取ることができる記念品などがあります。

個人の献血への「Disincentive」として、「精神的」には時間がとられること、自身の健康被害への不安などが考えられます。「物理的」には献血所に行くまでの交通費が該当します。これらを表にまとめると、以下のようになります。

地図：献血動機の分析

	物理的	精神的
Incentive	粗品・記念品	他者への貢献の満足感
Disincentive	献血所への交通費	時間的負担・健康被害への不安

基本的には献血者が不足気味なので待ち時間は少ないうえ、医学的安全のため必要な時間は30分程度と決まっているようなので、これ以上の時間の短縮は難しいでしょう。ただ献血をできる場所が身近にあれば移動時間が省けるので「Disincentive」は小さくなります。

不安解消には大規模なプロモーションなどの啓発活動が必要になるでしょう。献血所に行くまでの交通費に関しては、身近な献血所が各地にあり、献血は他の用事のついでに行くことが多いと思われるので、小さいと考えられます。

(C) 年間献血回数

これはいかに一度献血に来てくれた人が頻繁に献血をしてくれるかとい

うことです。現状では定期的に献血ルームを訪れる人はかなり少ないのではないでしょうか。同社では10回以上の献血経験者に対して記念品の贈呈を行っていますが、献血への関心がさほど高くない人が目標とするにはかなり高いハードルなうえ、商品の価値もそれほど豪華ではなく、リピートを喚起できていない可能性があります。

(ⅳ) 打ち手立案
学生に対して
1. 学校単位での献血を募集し、献血に関するレクチャーを行う
　高校・大学に営業をかけ、関係者総出での献血を依頼するのはどうでしょうか。健康診断で血液検査を兼ねつつ、任意で献血を行ってもよいかもしれません。学校の特別授業などで献血事業の意義についてのセミナーを行うのも、他者への貢献の満足感を強め、健康被害への不安も薄れる啓発活動になるでしょう。

社会人に対して
2. CSR活動として会社に参加してもらう
　申請があった会社に対し献血車を派遣し、社員に集団で献血をしてもらうようにする打ち手も考えられます。日本赤十字のホームページでそのような形で協力してくれた会社の名前をリストにして公開し、協力してくれた会社のCSR活動のアピールに協力することができます。実際にそのような活動をCSR活動として自社のホームページで宣伝している企業も存在するようです。

2つの層に対して
3. 粗品・記念品を高価格化する
　記念品、お礼の品をより豪華にすることも検討すべきでしょう。たとえば、「Incentive」の増加のために、アイドルのチャリティー握手会・サイン会・ライブなどのイベントを企画し、献血をその参加条件としてみるのはどうでしょうか。

4．快適な献血空間・サービスを提供する

献血者が喫茶店感覚で訪れてくれるように、ソファーやテレビを設置し、占い、マッサージ、ネイルカラーなどの各種サービスを充実させるのはどうでしょうか。また、献血で義務づけられている問診や血圧検査に伴い、医師や看護師が簡単な健康コンサルティングサービスを提供することも考えられます。

（ⅴ）打ち手評価

以下、優先順位が高い順に打ち手を並べました。

1．学校単位での献血を募集し、献血に関するレクチャーを行う

現在、若い世代の献血離れが深刻であり、それを食い止めるキッカケとなる打ち手として有効でしょう。ただ、献血の特性上、学生に強制するべきでないので、いかに献血の意義などを理解してもらえるかが重要になります。

4．快適な献血空間・サービスを提供する

現在の献血所につきまとう殺風景な病院のイメージを離れ、喫茶店並みの快適な空間を演出できれば、もっと敷居が低くなるのかもしれません。

2．CSR活動として会社に参加してもらう

近年、CSR活動の重要性が増しているので、賛同が得られた一部の企業からは一定の効果が期待できるでしょう。企業に献血車が赴くため、多忙な社会人にとって大きい「Disincentive」である時間的負担を解消できます。

3．粗品・記念品を高価格化する

有名歌手のチャリティーサイン会の参加権などをリピート献血者に与える打ち手は、それほど高く評価できないかもしれません。なぜならチャリティーサイン会にどうしても参加したい人が、本来献血の条件を満たさな

いにもかかわらず、健康状態や病歴などを隠して献血をする可能性があり、無理な献血で倒れたり、輸血を受けた人が病気に感染したりする可能性があるからです。過去に同様の経緯で売血が廃止されています。

〈反省と今後の課題〉
・年間献血者数について、中高年世代は横ばいながら、若者の献血離れが目立ち、大きな課題になっています。1998年には10〜20代の年間献血者数は約300万人でしたが、2008年には約140万人と半分未満となっています（厚生労働省調べ）。
・日本赤十字社が売血行為の防止のために、粗品としての図書券の贈呈を止めた一方で数々のサービスを提供している背景には、モノは転売・換金できる一方、その場で受けるサービスは換金ができないため、売血的な要素が薄いという理由があると推測できます。

Case 6: テニサーの新人勧誘に成功するには

難易度 C

4月になると大学では激しい新入生獲得競争が始まります。テニサー（テニスサークル）といっても多種多様なので、どういうテニサーかを自分で設定し、新人勧誘の「成功」とは何かまず定義しましょう。

COLUMN ③

ケーススタディは4次元宇宙？

　さて、ケースを解いたプロセスの甲乙はどうつけるのでしょうか？
　ケースのアウトプットを評価する軸として、「広さ」「深さ」「高さ」「速さ」という4つのファクターが挙げられます。
　「広さ」とはモレなく要素を拾っているかどうかです。日本のネコについて考えるにあたり、家庭でペットとして飼われているネコだけでは不十分。野良猫やペットショップのネコが泣いてしまいます。
　「深さ」とは分析を深く掘り下げ、深層のボトルネックを見抜いているかどうかです。頭痛という問題に対して、頭痛薬を飲むという素直な打ち手は対症療法にすぎません。仮に人間関係のトラブルという深層のボトルネックがあった場合、それを解消しない限り、またモグラ叩きのように再発してしまうでしょう。
　「高さ」とは議論をゼロベースで俯瞰し、本来の目的に則して展開しているかどうかです。ホテルでエレベーター待ちの苦情が多いため、対策として鏡を設置したというのは好例でしょう。待ち時間に鏡を見て身なりをチェックできるので、苦情は激減したといいます。この場合、そもそもの問題解決の目的は顧客の苦情を減らすことであって、エレベーターを速くすることではないのです。
　「速さ」とは「広さ」「深さ」「高さ」を備えたアウトプットをいかにスピーディーに作れるかということです。稽古量を積めば積むほど、似たような問題に対する所要時間が経験曲線的に短くなってくるはずです。
　なお、一般的に、初心者は「広さ」「深さ」を、中級者は「速さ」を、上級者はそれらをマスターしたうえで、「高さ」を磨いていく傾向があるようです。
　すなわち、最初は広くMECEにとったり、深く掘ったりといった基本技を磨いていき、量をこなし熟達するにつれて解くスピードが加速していき、最終的にはずっと高い視点を持って問題にあたれるようになるのだと思います。
　このように、ケーススタディとは、問題の設定や制限時間、アクセス可能な情報といった制約条件のもとで、4つのファクターを最適化していく知的格闘技に他なりません。「高さ」「深さ」「広さ」は空間、「速さ」は時間を表しています。ケーススタディは時空を超えた「4次元宇宙」なのかもしれません。

個人ケース

Project 7 大学生が3カ月で100万円作るには

難易度 B

（ⅰ）前提確認

　無事面接を通過し、戦略コンサルへの内定を果たした大学4年生の吉永君。夏休みに短期留学を考えている友人で同じく大学4年生の長野君から、**「残る3カ月の間に留学費用の100万円を作る必要がある」**と相談を受けました。

　なお、長野君は1人暮らし中であり、週5日10～15時は大学の授業に出席していて、現在アルバイトはしていません。長野君の個別事情に則して、時間と手間を最小限に、かつ確実に100万円を作る方法をアドバイスしてあげましょう。

（ⅱ）現状分析

　まず、100万円という目標額を実感してみましょう。仮に3カ月間、すべて授業を切って、朝9時～夜9時まで昼・夜休憩の各1時間を除き、休みなく時給900円のコンビニやマクドナルドの仕事に従事したとしても、900円×10時間×90日＝81万円となり、残念ながらそれでも不十分です。また、留学を目指すほど勉強熱心な長野君は、なるべく授業を切りたくないといいます。

　よって、授業を切らずにお金を貯めるべく、もっと投資対リターンがよい方法を模索しなければならないことになります。

　以下は、お金が貯まるメカニズムを1枚の地図に落としてみたものです。

```
地図：お金が貯まるメカニズム

                                         ┌→ 仕事を作る
                              ┌→ 仕事する ─┤
                      ┌→ 自力 ─┤          └→ 仕事をもらう
             ┌ 収入増  │       └→ 仕事しない
             │(インプット)│
             │        │       ┌→ お金を借りる
      ┌ フロー┤        └→ 他力 ─┤
      │ 増加 │                └→ お金をもらう
      │     │ コスト減  ┌→ 固定コスト
      │     └(アウトプット)┤
      │              └→ 変動コスト
      │
      └ ストック ┌→ 有形資産売却
        流動化 └→ 無形資産売却
```

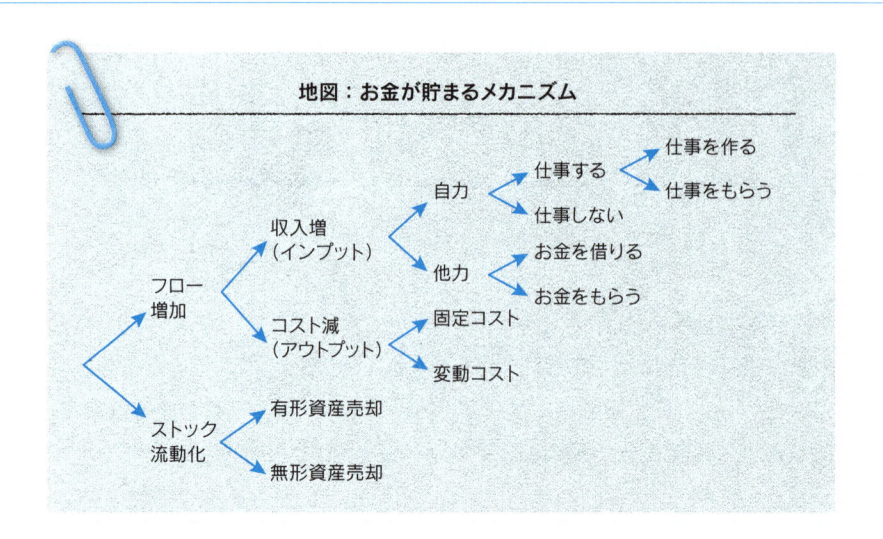

> **Key Point**　地図化にあたって、上流・マクロ視点では「フロー・ストック」「収入・コスト」など利用頻度・汎用性が高いフレームワークを使い、下流・ミクロ視点では臨機応変に各ケースに対応した即興の切り方をしています。

　まず、100万円を作る方法として、A「フロー」増加とB「ストック」流動化の2つが考えられます。

　A「フロー」増加について、収入増加（「インプット」）か、コスト削減（「アウトプット」）かのいずれかのアプローチが考えられます。

　収入増加については、自分の時間・労力・スキルを費やし、お金を得る「自力」アプローチと、他人に頼る「他力」アプローチがあります。

　「自力」については、仕事をする・仕事をしないでまず分けられ、仕事をするに関してはさらに仕事をもらう・仕事を作るに分けられます。

　ここで、仕事をもらう場合とは、アルバイトなどに応募することであり、仕事を作る場合とは、個人的にスキルを売り込むか、起業・独立することです。

　また、「自力」かつ仕事をしない場合とは、投資（株式の配当・キャピタルゲイン、FX、オークション取引）やギャンブル（競馬、パチンコ、宝

くじ)、犯罪行為（すり、強盗、身代金目的の誘拐）などを想定しています。

「他力」についてはお金を借りる・お金をもらうの2つにそれぞれ分解できます。

お金を借りる場合とは家族からの借金や返済義務をともなう奨学金などで、お金をもらう場合とは、お小遣い、返済義務のない奨学金などです。

コスト削減については、コストは住宅賃貸費などの固定コストと交通費・通信費・交際費・水道光熱費などの変動コストに分けられます。

B「ストック」流動化については、本・ゲーム・CD・家具などの売却をする有形資産の流動化や、まとめて払い込んだ大学授業料などの回収をする無形資産の流動化の2つが考えられます。

さて、長野君の場合を考えてみましょう。

収入増加について

まずは収入増加についてですが、普通の大学生の長野君にはまだ社会に売り込めるようなスキルや知識がないため、自ら起業・独立して仕事を作るのは現実的に厳しそうです。一方で、アルバイトは世の中にあふれているので、仕事をもらうのは一般的な選択となるでしょう。

「自力」かつ仕事をしないルートはどうでしょうか。投資に関しては軍資金が少ないうえ、金融知識にも乏しいので3カ月では難しいと考えられます。競馬やパチンコ、宝くじなどのギャンブルは熟練の勘が必要な世界、長野君には不適でしょう。また熟練していたとしてもリスクが付き物なため、「確実にお金を作る」という目的に合致した方法とはなりません。犯罪行為も、良心の呵責がありますし、第一仮に捕まってしまえば留学どころのさわぎではなくなります。

対して、「他力」アプローチも大いに考えられます。事情を説明して、実家や財団から一部を補助もしくは借りられる可能性があるでしょう（お

金をもらう・借りる）。

　財団へのアタックは、審査に時間がかかり7月には間に合わない見込みであり、選考通過自体も不確実なので、今回は断念します。

コスト削減について

　固定コストとして、月8.5万円の家賃があり、長野君は現在、両親に全額補助を受けています。実家から学校まで片道2時間かかるため、親に無理をいって学校まで徒歩圏内の家に住んでいるようです。

　変動コストには食費、交際費、水道光熱費などがあります。食費は月3万円、水道光熱費は月8000円程度です。また、就活が終了した4年生は時間に余裕があり、月平均で飲み会に1万2000円の出費をしていることがわかりました。以上、家賃とは別に両親から補助される5万円の仕送りでまかなっている状況だといいます。

「ストック」流動化について

　「ストック」流動化については、家にある売れそうな資産は3年間で貯めた教科書、ゲームソフト、CDくらいです。

（ⅲ）ボトルネック特定

　以上の現状分析を踏まえて、長野君がお金を貯めるうえでのツボを整理してみると、

- アルバイトへの応募
- 無理をいって出してもらっている家賃の節約
- 飲み会の自粛
- ストック流動化（教科書、ゲーム、CDなど）

の4点が挙げられます。

(iv) 打ち手立案

長野君がお金を稼げそうな見込みが立ったので、吉永君は長野君がすべきことと、それぞれがどれだけ目標達成に役立つかを伝えました。

1. アルバイトに応募する

長野君にはかつて塾講師の経験があるので、そのスキルを活かして、3カ月という短期でも可能で、かつ時給もよい家庭教師という職種に取り組むべきでしょう。土曜日には、時給は家庭教師ほど高くないものの、長時間労働ができるレストランのウェイターのアルバイトをすることにしました。

また、特殊スキルが不要で報酬がいい治験のアルバイトも見つけてきました。大学の心理学科が募集している心理学の治験とどこかの製薬会社が行っている新薬の治験の2種類がありましたが、どうも後者はいかにも怪しげで、治験の末に体調を崩しかねません。留学をフイにしないためにも安全な心理学の治験を受けることとしました。

2. 1人暮らしをやめ、実家暮らしに戻る

月8.5万円の家賃を支払ってもらっていた分を実家から通うことで浮かせ、自分の留学費用にしてもらうよう交渉してみてはどうでしょうか。頭を下げて、仕送り代は据え置いてもらい、食事代・水道光熱費を浮かせ、残りは昼食代・交通費にあてたいところです。

3. 飲み会を自粛する

活動的な長野君は、入学当初、複数のコミュニティを掛け持ちしており、今でも付き合いでの飲み会が多くなっていました。これからはアルバイトで忙しくなるので、付き合いを当分控えてはどうでしょうか。

4. 家にある資産を売却する

今まで3年間受けてきた授業の教科書50冊に、試験対策プリントと個別レクチャーをサービスして、定価の1000円引きで後輩に買ってもらうこ

とを考えます。また、ゲームソフトやCDを中古ショップに定価の10%で買い取ってもらうこともできそうです。

(v) 打ち手評価

1. **アルバイトに応募する**

    家庭教師：時給3000円×3時間×週5×12週間＝54万円
    ウェイター：時給1300円×8時間×週1×12週間＝12万4800円
    心理学の治験：時給1000円×3時間×週1/2×12週間＝1万8000円

2. **1人暮らしをやめ、実家暮らしに戻る**

    家賃：月8.5万円×3カ月＝25.5万

に加え、食事代の一部と水道光熱費が浮くとすれば、仕送りの中から、

    食事代：月1万×3カ月＝3万
    水道光熱費：月8000円×3カ月＝2万4000円

の余裕が新たに発生することになります。

なお、実家から通うことにより3カ月で5万円の定期代が発生するので、これは今回の獲得額から除く必要があります。

3. **飲み会を自粛する**

    交際費：月1.2万×3カ月＝3万6000円

4. **家にある資産を売却する**

    平均2500円の書籍を中古で売るので、1000円引きの平均1500円で売ろうと考えています。

    本の売却代：1500円×50冊＝7万5000円

これらをトータルすると実に105万2800円貯まることがわかりました。実行さえできれば、目標を達成できそうです。

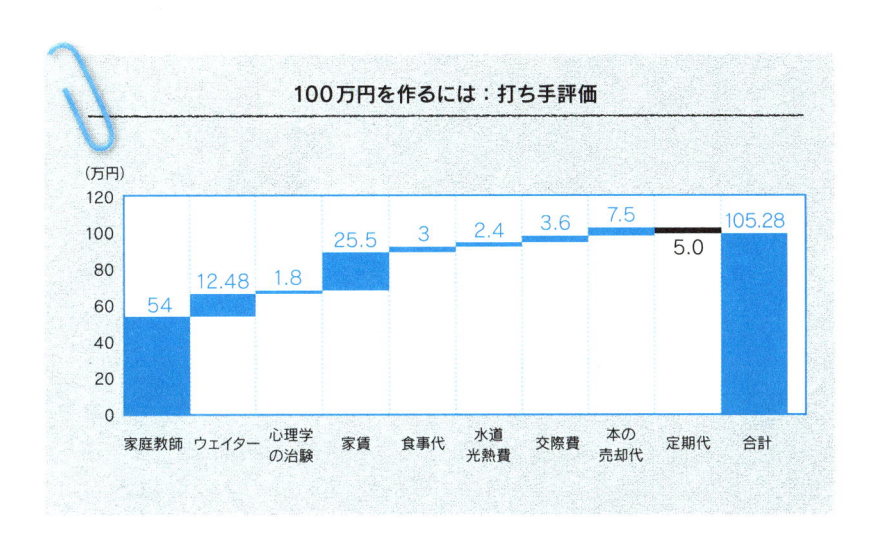

100万円を作るには：打ち手評価

(万円)

家庭教師	ウェイター	心理学の治験	家賃	食事代	水道光熱費	交際費	本の売却代	定期代	合計
54	12.48	1.8	25.5	3	2.4	3.6	7.5	5.0	105.28

3カ月後、セミの声が響き渡る夏のある日、吉永君は長野君からゴールデンブリッジの絵葉書を受け取りました。自らのケーススキルへの確信を深めた彼は、1人ニヤリとした笑みを浮かべました。

〈反省と今後の課題〉
・打ち手を評価して優先順位をつけてどれを実行するか決めるのではなく、目標達成のために並行してすべてを行うという結論になっています。現実のさまざまな問題解決においても、複数の打ち手の実行が目標達成に必要なことが多いと思われます。個別の打ち手のコストが相対的に小さいときには、複数の打ち手を実行することを考えてみましょう。
・「確実に100万円を用意する必要がある」という条件を考えると、本来は今回想定した収入源のいずれかが何らかの理由で途切れたとしても大丈夫なように、リスクヘッジを行っておくことが重要かもしれません。

Case 7: ボウリングのスコアを上げるには

難易度 A

吉永君の友人の高橋君が3カ月で現在の平均スコアである85を2倍の170にするという壮大な目標を掲げたとします。上のProjectと同じように、吉永君になったつもりで高橋君にアドバイスをしてあげましょう！ ボウリングの得点を左右する要素の地図化がカギです。もちろん、高橋君の状況は自由に設定していただいてかまいません。

▲ケース問題は、ノートに解いていきました。慣れてきたら、時間を計りながら練習してみてください。問題を解くスピードを上げるトレーニングにつながります。

個人ケース

Project 8 英語を話せるようになるには

難易度 A

(ⅰ) 前提確認

グローバル化が進む現代、TOEICスコアが昇進の要件となるなど、英語力は広くビジネスパーソンに求められるようになっています。多くの日本人にとっては、とくに受験英語では問われないスピーキング力がネックとなっているようです。

今回は不確実な将来に備えるため、「どう英語スピーキングの訓練を進めていけばよいか」、大まかな方向性を描いてみましょう。

(ⅱ) 現状分析

まず、スキルを身につけるための一般的なステップとして、

(A) 座学 → (B) 素振り → (C) 実戦

の枠組みを設定します。

地図:スキル習得の3ステップ

	座学	素振り	実戦
イメージ	準備	練習	本番
知識	覚える	使う(知識利用が目的)	使う(知識利用は手段)
リスク	なし	小さい	大きい

このステップを英語のスピーキングに適用した場合について考えてみましょう。

(A) 座学：英語のスピーキングに必要な能力には、コンテンツを作るための文法・語彙とそれを音声にして伝えるための発声の3つが挙げられます。ここでの発声には、各単語を正しく発音する能力だけでなく、英語らしいリズムや抑揚、強勢などが含まれます。

この中でもとくに文法・語彙が語学の基本であり、これらがあまりにも不安定な場合には、さすがに英語を話すことはできません。

ここで想定している主な打ち手には、

・高校の教科書を読み返す、単語帳を覚える。
・発音矯正教材を学ぶ。
・テレビやラジオの英語講座を視聴する。

などがあります。

(B) 素振り：ここから、座学で覚えた英語を使う段階に移行します。ここからは、実際に声を出して話していかねばなりません。

その手段は、「リアル・バーチャル」×「有料・無料」という2×2のマトリクスに整理できます。

地図：素振り手段の分類

形態 \ お金	有料	無料
リアル		
バーチャル		

> **Key Point** 一般的に、実行方法を分類する上で「リアル・バーチャル」というフレームワークはかなり汎用性が高いです。ここでは有料・無料というもう1つの軸を足してマトリクス化することで、打ち手の抜け漏れを減らすように努めています。

(iv) 打ち手立案

それぞれで想定している打ち手を列挙してみましょう。

リアル×有料
・英会話教室に参加する（ただし、授業料が1レッスン数千円するなど高額）。
・社会人英会話クラブに入る。
・スピーキングつきの資格（英検やTOEFLなど）を受験する。

バーチャル×有料
・オンライン英会話をする（フィリピン人など準ネイティブが先生のうえ、25分数百円と価格も安い）。

リアル×無料
・1人で練習（音読やシャドーイングなど）する。
・外国人の友人や、帰国子女の友人と話す。
・英会話サークルに入る。

バーチャル×無料
・海外の友人とスカイプで会話する。

(C) 実戦：素振り同様、「使う段階」であることに変わりはありませんが、素振りがどちらかといえば「話すこと」を「目的」としているのに対し、実戦は「話すこと」が他の活動の「手段」となっている点で区別されます。

また当然、「背負うリスク」の大きさでは、「実戦」(本番)のほうが「素振り」(練習)より大きくなります。

実戦の場面は「On」と「Off」(遊ぶ)に分けられ、「On」は「アウトプット」(働く)と「インプット」(学ぶ)に分けられます。ここでの「アウトプット」「インプット」は英語のアウトプット・インプットではなく、職業知識・ノウハウや学問的知識に関するものです。

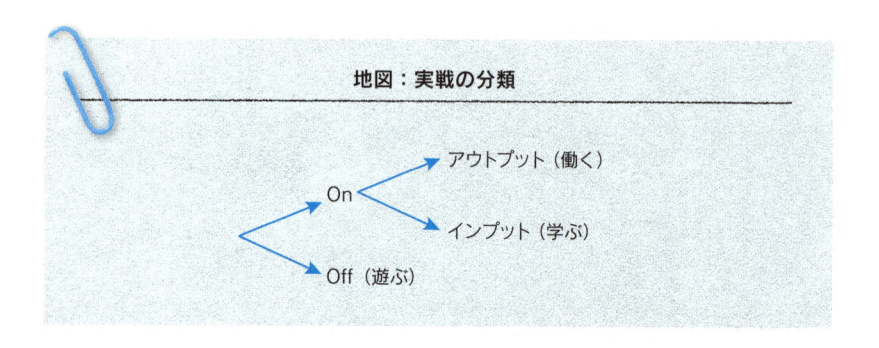

地図：実戦の分類

```
              → アウトプット (働く)
        On <
      ↗       → インプット (学ぶ)
     ↘
        Off (遊ぶ)
```

これらの実戦経験を積むことでスピーキングが上達する上、「座学」や「素振り」のモチベーションも湧いてきます。

「On」×「アウトプット」
・海外に関わるプロジェクト・部門に配属される。
・海外との折衝が多い会社や社内に外国人が多い会社に転職する。

「On」×「インプット」
・留学する。
・日々の情報収集として、英語ニュースや英字新聞を使う。

「Off」
・海外旅行に行く。
・外国人の友人と食事に行く。

〈反省と今後の課題〉
・今回は英語のスピーキングの訓練方法にフォーカスしましたが、実際は訓練を続けるためのモチベーションの維持が最大の課題になるかもしれません。その点に関しては、Case 9「ランニングを続けるには」で扱っています。
・今回のケースではスピーキングの「Skill」について考えましたが、独学での英語学習に成功した人の話を聞くと、英語を話す度胸などの「Will」も重要なようです。「Skill」がつくと自信を持てるため「Will」がつき、「Will」がつくと英語習得の意欲につながる上、喋る機会が増えるので「Skill」の成長が速くなる、という正のサイクルがあるようです。

Case 8: 睡眠を改善するには　難易度 B

ベッドインからベッドアウトまでを広く睡眠行動ととらえ、改善の可能性を洗い出してみましょう。

個人ケース

Project 9 ダイエットするには

難易度 A

（ⅰ）前提確認

　現代では「痩せたい」という願いは、健康・美容目的から多くの人が持っているようです。さまざまな本・雑誌にダイエット関連の記事が溢れ、納豆ダイエットなど怪しげなテクニックも跋扈しています。

　過多な情報に惑わされないためにも、ダイエットのメカニズムを考えてみましょう。

（ⅱ）現状分析

　そもそも、体重を減らす手段は、「**ストック**」（脂肪などの体内の不要な蓄積物）の除去か、「**フロー**」（純カロリー吸収量）の削減のいずれかに分けられます。

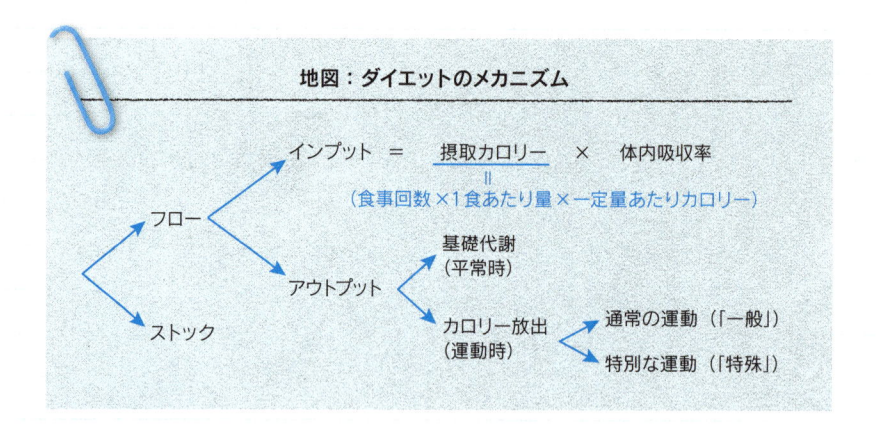

地図：ダイエットのメカニズム

```
                 インプット ＝ 摂取カロリー  ×  体内吸収率
                              ＝
         フロー                （食事回数×1食あたり量×一定量あたりカロリー）
                                基礎代謝
                 アウトプット   （平常時）
         ストック              カロリー放出 ─── 通常の運動（「一般」）
                              （運動時）   └── 特別な運動（「特殊」）
```

> **Key Point**　まず「フロー・ストック」、次に「インプット・アウトプット」というように、順番にレベル感が高いフレームワークから切

> っていきます。「フロー・ストック」のフレームワークは、特にストック量（ここでは体重）を変化させるような課題で有効です。

さらに、「フロー」削減のためには、「インプット」減少と「アウトプット」増加の2つの方向性に分けられます。

「インプット」は、

　　摂取カロリー×体内吸収率

と表せます。

摂取カロリーとは、口から直接入る食べ物・飲み物が含むカロリーであり、

　　食事回数×1食あたり量×一定量あたりカロリー

とさらにかけ算に分解できます。

（ⅳ）打ち手立案

食事回数に対して
・間食や夜食などをなくす（ただし朝食を抜くなど無理に食事回数を減らすと、昼食や夕食の食事量にしわ寄せが行きやすい）

1食あたり量に対して
・腹8分目を徹底する（おかわりを控える）。

一定量あたりカロリーに対して
・糖分を控える：チョコレートやアイスクリームなどのデザート類を避ける。アルコールや清涼飲料水は控え、水を摂取する。
・脂肪分を控える：「揚げ物や肉料理は週に2回まで」などルールを定める。

一方、体内吸収率とは、摂取した食物が、胃腸で実際にカロリーとして体内に吸収される割合を指しています。

体内吸収率に関して
・漢方薬や下剤を服用する。
・鍼・灸などで体質改善を図る。

「アウトプット」は基礎代謝とカロリー放出に分けられます。前者は平常時、後者は運動時にエネルギーが消費されることを指しています。さらに運動は、日常的に自然に発生する通常の運動（「一般」）と、意識して運動を行う特別な運動（「特殊」）に分けられます。

基礎代謝に対して
・筋トレにより筋肉質な体を目指す。
・ヨガや漢方薬などによる体質改善を図る。

通常の運動に対して
・電車やタクシーの利用を自転車や徒歩で代替する。
・エスカレーター・エレベーターは使わず、階段を用いる。

特別な運動に対して
・スポーツクラブやジムに入会する。
・週末は子供とサッカーを楽しむ。

最後に「ストック」の除去とは、外部から強制的に脂肪などの体内の不要な蓄積物を抜き取ることを指します。

「ストック」除去に対して
・脂肪吸引手術を受ける。ただし、その他の打ち手とセットで行わなければ、数カ月でもとに戻ってしまい、抜本的な解決にはつながらないだろ

う。

〈反省と今後の課題〉
- カロリー消費は、「体」だけでなく、「頭」においてもありえます。カロリー消費としてはわかりにくいですが、頭脳労働を自分に強いることで「頭」のカロリー消費によるダイエット効果もありえるかもしれません。
- 「ストック」と「フロー」に分け、さらに「フロー」を「インプット」と「アウトプット」に分ける方法は、Project 7「大学生が3カ月で100万円作るには」という問題にも応用できるフレームワークです。
- このProjectではダイエットの方法論を書きましたが、いかにそのダイエットを続けるべきか、という点に関しては、以下のCase 9の問題と被る部分があります。

Case 9: ランニングを続けるには　難易度 B

決意はしても、なかなか続かないランニング。習慣化するために、まずはランニングをするIncentiveを分解してみましょう！

おわりに──ケーススタディの限界

　お読みいただき、ありがとうございました。いかがでしたでしょうか？ ケーススタディの楽しさを体感していただけましたでしょうか？
　「机上の空論」「カタカナの妖術」「書生の屁理屈」……などなど、中にはまだうさんくさい目で見られている方も多くいらっしゃると思いますので、ここでは「ケーススタディの限界」と題して、皆さまのご批判を3点において吸収しておきたいと思います。

　1点目は、現実に実際の価値を出すのは、「分析」ではなく「アイデア」だということです。「分析」は「アイデア」創出の手段にすぎません。選考での問題解決ケースではとくに「構造化」能力が問われるため、本書でもフレームワークによる「地図」作りを強調しています。
　しかし、同じようなフレームをみなが使う限り、どれも似たような「地図」になってしまい、独創的で「ぶっとんだ」アイデアは生み出せません。革命的ブレークスルーはこのような分析的なアプローチの延長にはないのです。本書でも「ぶっとんだ」アイデアを登場させようと、意図的にさまざまな「抵抗」を試みましたが、ここに要素還元的なケーススタディの大きな限界があるのだと思います。
　そのためには、思考の「ちゃぶ台」をひっくり返し、「ぶっとんだ」アイデアをゼロベースで叩きだす、創造的なアプローチが必要になるのかもしれません。

　2点目は、問題解決ケースは「考える言語」で書かれており、「伝える言語」ではないということです。
　一般に「ケース語」（コンサル語？）は「ビジネスのエスペラント語」といえるかもしれません。思考を進めるには極めて効率的な言語でありな

がら、話者が限られており、意思疎通が図れないのです。

その上、厳格にMECEやロジックツリーにこだわり、かつやたら不自然なカタカナが出没しがちなので、聞き手の嫌悪感を招いてしまいます。

現実の問題解決においては、他者への働きかけが不可欠です。そこでは、「考える」際にはケース語を使いながらも、「伝える」際には聞き手の許容範囲に合わせるという「翻訳スキル」を磨いていく必要があるのでしょう。

3点目は、ケーススタディはしばしば「空論化」しがちだということです。

ケースは行動責任がなくリスクフリーのため、それが「思考実験」の自由な魅力なのですが、徐々にケース自体が浮世離れた「知的妄想」になってしまいがちです。実際、本書にも皆さまから見て現実にそぐわない点が、数多く散見されると思います。

問題解決に、戦略を練る「頭」と進む道を決断する「腹」と実行する「手足」が必要とすれば、ケースはあくまでも「頭」の訓練に特化したシミュレーションにすぎません。MBAの教材などを含めたケーススタディ全般が「お絵かき」や「紙芝居」と批判されるのもこの点なのかもしれません。

僕自身、社会に出たあと、謙虚に現実と向き合い、このようなシミュレーションを検証すると同時に、現実の問題解決との接点を常に持ちながら、仮説を進化させていかねばならない、と強く自戒しているところです。

しかし、このような壁はあれど、それによってケーススタディの魅力が損なわれるわけでは決してありません。ケーススタディの長短を見極めながら正しく「素振り」として付き合っていけば、かならず問題解決力の鍛錬に貢献してくれるものと思っています。

なお、本書は多くの友人たちとの議論の成果をまとめたものであり、ま

さしく「共著」といえます。

　オタクなディスカッションに嫌な顔せず参加してくれた高田祐人さん、田中耕路さん、津田拓也さん、中出昌也さん、矢子由紀久さん、吉田恵一さん、脇田俊輔さんには、特に感謝しております。

　そして、前作から引き続きお世話になり、筆の進まぬところで尻を叩いてくださり、最終的に見事なデザインに仕上げていただいた東洋経済新報社の桑原哲也さん。

　すべての方のお名前を記せないのは非常に残念ですが、ともにケースを解いてきたすべての同志の方々に感謝の意を表します。ありがとうございました。

東大ケーススタディ研究会
吉田雅裕、木本篤茂

Information

　本書で自習していただいた後は、実践を重ね、講師によるフィードバックを得て、ご自身のスタイルを磨き込んでいくのが極めて有効です。東大ケーススタディ研究会では戦略コンサルのケース面接やインターン選考の最新トレンドに沿った、セミナーや練習会を不定期で開催しております。

　イベント情報はTwitterで発信しておりますので、以下のアカウントをフォローしていただけますと幸いです。

　　@todaicase (https://twitter.com/todaicase)

+9問で
ワンランク上の問題を解く力を身につける!

ここでは、さらなる9問で問題を解く力を鍛えていただきます。「地図」を書いてみると、目の前に「どこかで見た風景」が広がってくると思います。それこそ、OSとしての問題解決手法と「剣」としてのフレームワークが血肉になった証拠です。ぜひ、実際に手を動かして解いてみることをおすすめします。

Case 1： ヤクルトレディの売上を上げるには　難易度 A

Case 2： 大相撲の観客数を増やすには　難易度 B

Case 3： スキー場の来場者を増やすには　難易度 C

Case 4： 交通事故を減らすには　難易度 B

Case 5： 万引きを減らすには　難易度 B

Case 6： テニサーの新人勧誘に成功するには　難易度 C

Case 7： ボウリングのスコアを上げるには　難易度 A

Case 8： 睡眠を改善するには　難易度 B

Case 9： ランニングを続けるには　難易度 B

Case 1：ヤクルトレディの売上を上げるには

難易度 A

（ⅰ）前提確認

　「ヤクルトレディ」とは飲料メーカー・ヤクルトに特定エリアの商品販売を委託されている女性スタッフのことであり、全国に4万2000人（2008年末、ヤクルト本社ホームページより）いるそうです。

　幼少のころから長くお世話になっているヤクルトレディのLさんから、「歩合給の報酬を上げるため1日の売上を上げられないか」との相談があったとします。

　なお、Lさんは自宅から近いエリアの個人向け販売を委託されており、契約家庭に週に1度1週間分の商品を届けています。また、子供を使うなど増員はせず、あくまでも単身での販売を考えることとします。

（ⅱ）現状分析

　まず、売上を因数分解してみます。

地図：売上の因数分解

　　売上＝（A）契約件数×（B）1件あたり販売本数×（C）平均商品単価

　（A）の契約件数の増加は「新規顧客の開拓」と「既存顧客の維持」に分けることができます。このとき、「新規顧客の開拓」件数は、

　　（D）労働時間×（E）1時間あたり訪問件数×（F）成約率

で表すことができます。

> **Key Point**　売上の分解とは別に「新規顧客の開拓」件数の式を作りま

した。因数分解の際には1つの式に収めることに固執する必要はありません。

なお、Lさんは現在の顧客からの信頼は厚く、一度契約したのに離れていく客はあまりいないそうなので、「既存顧客の維持」は問題ないとします。

(ⅲ) ボトルネック特定
(B) 1件あたり販売本数
ヤクルトはビールのような嗜好品ではないため、健康増進目的で飲んでいる多くの顧客が購入本数を大幅に増やしてくれることは考えにくいです。

(C) 平均商品単価
商品のラインナップには2、3倍の価格差があります。もし高価格帯の商品を購入してもらえば、平均値が相当上がります。

(D) 労働時間
新規訪問件数の増加の大きな障害は時間的制約だろうと考えられます。ただ、労働時間を増やすのは、Lさんが家事・育児を抱えるパートタイマーであることを考えると現実的ではありません。

(E) 1時間あたり訪問件数
新規顧客の開拓にかける時間をどれだけ増やすかと、その中でいかに効率的に多く家を回るかが課題となります。限られた労働時間の中で、既存顧客向けの配達に使っている時間の短縮を目指していく必要がありそうです。

(F) 成約率
成約率が低ければ、訪問件数を増やしても新規顧客獲得にはつながりま

せん。ヤクルトレディの中でもかなり個人の力量による部分だと思われるので、改善の余地がありそうです。

(iv) 打ち手立案
1. **新規開拓訪問件数を増やす（→(E)1時間あたり訪問件数）**

　まず新規開拓にあてる時間を増やすべく、<u>既存顧客のために割く時間を減らせないか</u>を考えます。まず地図上で配達ルートの見直しをしたうえで、配達が毎週から隔週になるようまとめ買いをしてもらえないか、交渉してみるのはどうでしょうか。

　彼らはすでにLさんからヤクルトを買う信頼関係ができており、賞味期限までに飲みきれる分量をまとめ買いしてもらうことができたとすれば、失礼にあたらない程度で訪問頻度が減らせると思います。

　そして、<u>その浮いた時間を新規開拓にあてます。</u>

　個人販売先としては、1軒家とマンションが考えられますが、マンションは1軒1軒が隣同士近く、短時間で多くの世帯をあたれるため、訪問効率に優るマンションが望ましいです（ただし、オートロックがかかっている棟は除く）。

　マンションの知り合いなどの紹介を通じて、お隣のご近所さんから少しずつアタックしていくのはどうでしょうか。

2. **セールス力を鍛える（→(F) 成約率）**

　セールス力を以下のように分けてみました。

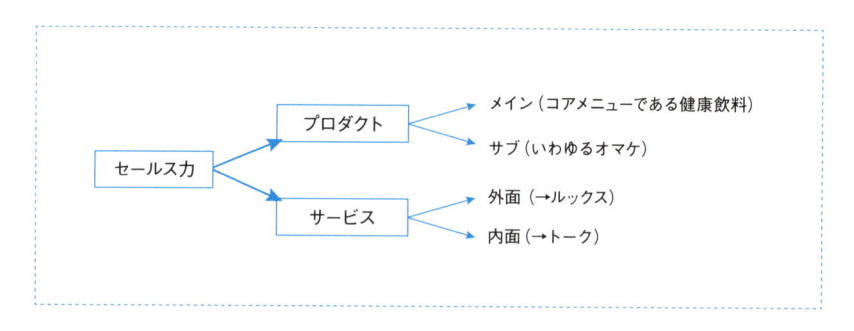

```
セールス力 ┬─ プロダクト ┬─ メイン（コアメニューである健康飲料）
          │            └─ サブ（いわゆるオマケ）
          └─ サービス  ┬─ 外面（→ルックス）
                       └─ 内面（→トーク）
```

Lさんがセールスを通して提供している価値は、大きくモノである「プロダクト」とモノ以外である「サービス」に分けられます。

　プロダクトは「メイン」であるコアメニューの健康飲料（ヤクルトシリーズ）と「サブ」であるオマケ（チョコレート・キャンディ・オモチャなど）に分けられ、サービスは「外面」（ルックス）と「内面」（トーク）に分けられます。

　全国に数百人いるレディ間に大きな売上格差があるだろうことを考えると、「プロダクト」はほぼ全国共通なのでキーではないはずです。また、「外面」（ルックス）はたしかによいに越したことはありませんが、ヤクルト販売において一番重要とまではいえないでしょう。

　残る打ち手は「内面」（トーク）の改善となりますが、他業界の販売員・営業マンの差別化要因がまさにトークであることからしても納得感があります。

　具体的には、ビジネス書やセミナーを通じて一般的な営業ノウハウを学ぶと同時に、顧客世帯の個人情報を記憶するなど、お客さんのハートをつかむためのキラートークを磨いていく必要があるでしょう。さらにトークの改善と共に商品知識も獲得し、きちんと高い商品と安い商品の違いを明確に説明して、高い商品の購買につなげられるようにします。

（ⅴ）打ち手評価

　以下、優先順位が高い順に打ち手を並べました。

2．セールス力を鍛える

　セールス力の強化は完全にLさんの努力によります。「新規顧客の開拓」につながるだけでなく、ヤクルトレディとの交流を楽しみにしている「既存顧客の維持」にも効果があるでしょう。

1．新規開拓訪問件数を増やす

　ヤクルトレディは単にヤクルトという「プロダクト」だけでなく、笑顔の会話という「サービス」を提供しています。既存顧客層へのまとめ売り

による無闇な新規開拓は、ヤクルトレディとの交流を楽しむ既存顧客の喪失につながりかねません。またヤクルトが冷蔵を必要とする製品であることを考えると、収納スペースの問題により、まとめ売りは一般家庭で歓迎されないと考えられます。

〈反省と今後の課題〉

- 今回は簡単のため、前提確認で個人販売に絞りましたが、実際には法人販売も多いと考えられます。新規開拓をするならば、1件あたりの購入量が多い法人営業も考えるのが現実的といえます。
- ヤクルトレディの報酬体系はエリアによって異なるが、基本的には「時給」と「歩合給」のミックスのようです。ただ、家事や育児も抱える多忙なヤクルトレディが本問で想定したような積極的な飛び込みをどれだけ行っているのかはやや疑問が残ります。実際は顧客の紹介などによって、少しずつ新規客が増えていったり、既存顧客に以前より多く買ってもらったりと、長年の勤務経験の中で徐々に売上を増やしていくものなのかもしれません。

Case 2: 大相撲の観客数を増やすには

難易度 B

(ⅰ) 前提確認

　日本の国技である相撲。最盛期の若貴ブームの際には「満員御礼」が相次いでいましたが、ブームの衰退と相次ぐ不祥事にもみまわれ、近年、会場には空席が目立つようになっています。

　2010年の夏場所2日目には残券は4973枚、両国国技館としては記録集計を始めた1997年夏場所以来、ワーストの入りとなったそうです。

　日本相撲協会から、「観客数を増やすにはどうすればよいか」と相談があったとします。国技再興のための戦略を考えてみましょう。

(ⅱ) 現状分析

　現在、相撲協会は東京(両国)、大阪、愛知、福岡の4都市で1年に6場所、1場所15日ずつの本場所を行っています。

　まず観客としては、テレビ放映を見る限りでは、50〜70代の中高年層が多いと思われます。高齢化社会を迎えるとはいえ、次世代の新規観戦者を加えないと、ジリ貧になってしまいます。よってこのケースでは若年層を主なターゲットとしてみることにしましょう。

　次にターゲットとなる若年層が相撲観戦に来るまでに経由する、

> 地図：相撲観戦までの意思決定プロセス(AIDMA版)
>
> (A) 興味 (Interest) → (B) 欲求 (Desire) → (C) 行動 (Action)

という3つのステップで現状を見ていきます。

(A) 興味 (Interest)

　日本人ならば相撲の存在自体は誰でも知っています。しかし、若年層の多くの人にとって、新聞・テレビ・ニュース・WEBで試合結果やダイジェストをたまにチェックするくらいで、横綱の力士は知っていても、大関以下の力士は知らない人が多いです。

　相撲に興味を持ってもらうために、そもそも相撲の魅力とは何か、考えてみましょう。

　まず、「プレイ」と「プレイヤー」に分けてみます。

「プレイ」：「競技」的側面と「エンターテイメント」的側面に分けられる。前者は純粋にスポーツとして勝負を競うおもしろさであり、後者はある意味、格闘技という娯楽としてのおもしろさである。とくに相撲のテレビ放映を見る限り、横綱などの有名力士の取組以外では観客も淡々と観戦しており、野球やフィギュアスケートなどの華やかなスポーツと比べた場合、どうしても万人受けする「エンターテイメント」性で負けてしまっている感が否めません。

「プレイヤー」：「プレイ」と同様に、「プレイヤー」も競技者としての「強さ」とエンターテイナーとしての「おもしろさ」の双方が求められる。たとえば、朝青龍関の独特なインタビュー、高見盛関の派手なパフォーマンスは、力士の「おもしろさ」を高めているといえる。

　以上を地図にすると、以下のようになります。

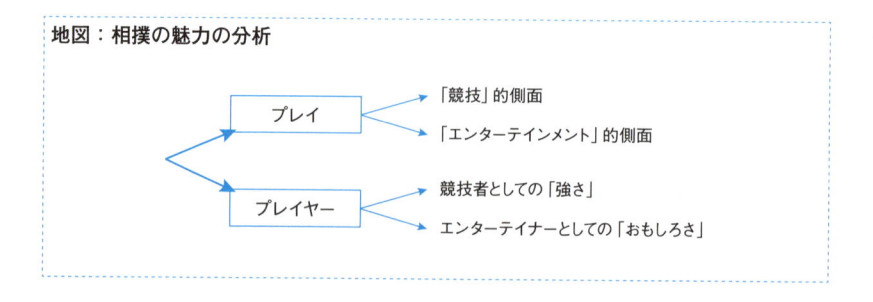

```
地図：相撲の魅力の分析

           ┌─→ 「競技」的側面
     プレイ ─┤
   ↗       └─→ 「エンターテインメント」的側面
  
   ↘       ┌─→ 競技者としての「強さ」
    プレイヤー ─┤
           └─→ エンターテイナーとしての「おもしろさ」
```

> **Key Point** 「プレイ・プレイヤー」のフレームワークは他のスポーツやゲームなどでも使えます。「プレイ」と「プレイヤー」の下のレベルではその問題に合った分解が必要になるでしょう。

(B) 欲求 (Desire)

相撲の魅力を高め、メディア上で興味 (Interest) を持ってもらったら、次は実際に足を運んで、リアルで観戦してもらう段階に入ります。

現在のところ、リアルで観戦できるメリットは間近で見る競技の迫力(プレイ)、力士に直接会える(プレイヤー)などといったものです。高価なマス席だと、ゆったりとした座席で弁当を堪能でき、相当な土産(せんべい、あんみつ、和菓子、湯飲み、タオル、カレンダー、お酒など)ももらえるそうです。

ただ、足を運んで初めて味わえるメリットが少ないと思われます。

(C) 行動 (Action)

各場所ごとに特定の会場が決まっています(東京なら両国国技館、大阪なら大阪府立体育会館)。時間は午前8時開場、午後3時50分幕内土俵入り、午後6時に終了します。社会人が平日に行くには、厳しい時間帯です。

また価格は、最低の3600円(両国)から最高の14300円まで幅広く設定されています。子供料金はなく、4歳以上からチケットが必要になります。

(ⅲ) ボトルネック特定

以上の現状分析を踏まえて、5つの課題を洗い出してみました。

エンターテイメント性

流行っている他のスポーツと比べると相撲はやはり「エンターテイメント性」に乏しく、初心者が見て楽しみやすいものとはいえないでしょう。

力士のキャラクター性
　よくも悪くも個性が際立っていた朝青龍関がいなくなったことで今の相撲界にはキャラクター性のある人気力士が少ないといえます。

リアル観戦のみの特典
　試合が間近に見られるのはもちろんリアル観戦の魅力ですが、他にリアルでの魅力が増したら来場したいと思う人は増えると推測できます。たとえば新興チームだった野球の東北楽天ゴールデンイーグルスは、球場を家族が楽しめるテーマパーク化することで家族客を球場に呼び込んでいます。

取組・テレビ中継の時間帯
　平日・休日問わず、午前8時開場で午後6時には終了しています。それに伴い、テレビ中継は午後3～6時です。平日はお年寄りと子供くらいしか観戦に行けないうえ、中継を観ることもできません。

チケット価格
　たしかに最低価格3600円はそこまで高いわけではありませんが、現在の観客層である比較的裕福な高齢者に適合したもので、そこまで相撲に興味のない層や若年層にはやや手が出しにくいです。他のスポーツと比較してみると、Jリーグの試合やプロ野球の試合のチケットの最低価格が小中学生向けだとそれぞれ500円程度、大人向けでも1000～2000円程度なので、相撲のチケット価格の高さが際立ちます。

(iv) 打ち手立案
1. 他のスポーツの演出手法を導入する
　テレビ放映において、立合いの前に過去の対戦を振り返って「因縁の対決」として取り上げるなど、民放のスポーツ番組の形式を取り入れるのはどうでしょうか。また、通常の場所に加えて、部屋別・出身地別の団体戦など番外企画を用意してみるのも一考の余地があります。

2．キャラクターのある力士を育成する

　見込みのある力士にプロデューサーをつけ、テレビ・CM出演、高見盛関のような派手なパフォーマンスを積極的に奨励して、キャラクターを育てていくことが考えられます。格闘技風に、対戦前には各力士のプロフィールを絡めた背景ストーリーを紹介し、知らない力士にも親近感を持ってもらいます。そして、人気が出た力士には、グッズ販売やファンクラブを作るなど、タレント並みに活動を支援していくのもおもしろいかもしれません。

3．来場者へのファンサービスを強化する

　幕内力士による来場者の出迎えや見送り、サイン書きなどのファンサービスを増やすことも考えられます。プロ野球球団のように家族連れの観戦者に向けて、当日の取組前や終了後に力士との交流会を設けるのもおもしろいかもしれません。

4．試合・テレビ中継の時間帯を変更する

　平日だけでも、本場所のタイムテーブルを3時間後にずらし、幕内入場を6時50分、終了を9時にするのはどうでしょうか。これで会社帰りの社会人がアクセスしやすくなります。テレビ中継がゴールデンタイムになって厳しければ、ＮＨＫ総合テレビではなく、教育テレビで放映するのもいいでしょう。

5．若者向けのチケットを値下げ・無料化する

　30歳以下は最低価格1000円にするなどの若年層の誘致が必要になりそうです。将来の相撲ファン育成のため、小中学生は無料にしたり、修学旅行の学生を無料で招待したりするのも考えられます。

（ⅴ）打ち手評価

　以下、打ち手を優先順位が高い順に並べました。

5．若者向けのチケットを値下げ・無料化する
　まずはとにかく現在空いている席に若者を誘致し、相撲観戦のキッカケを作ることが重要になります。多少の売上の低下にはつながりますが、現在日本相撲協会は年間1億〜3億円の利益を出している優良法人のようなので、売上減は将来への投資として大きな負担にはならないといえそうです。

3．来場者へのファンサービスを強化する
　力士との交流の機会でいい思い出を作り、力士のファンを増やしていけば、リピートの可能性が高くなります。ただし、現役力士の心理的負担になってしまい、立合いに支障が出ないよう少しずつ始めるべきでしょう。

4．取組・テレビ放映の時間帯を変更する
　今回のターゲット層の若年層のうち、会社帰りの社会人の獲得には効果的な打ち手になりそうです。ただあまり遅い時間になれば、逆に既存の客の大半を占める高齢者層を失うかもしれません。まずは1場所に数回、試験的に実施してみて、プラスとマイナスのどちらが大きいか試すことになります。

1．他のスポーツの演出手法を導入する
　相撲の伝統的な側面と反するので、気をつけないと保守的な既存客の反発・喪失につながる可能性もあります。また現在相撲に興味がない層が、これによってどれだけ興味を持つかも不確定です。

2．キャラクターのある力士を育成する
　やはりパフォーマンスの奨励などはガッツポーズすら禁じる相撲の伝統に反することになってしまい、制約がかかりそうです。また力士としての強さが伴わない「キャラクター勝負」の力士は実力のある力士に比べ、飽きられるのが早いかもしれません。

〈反省と今後の課題〉
- やはり伝統と革新のバランスが非常に難しいお題です。他のスポーツからの類推は参考にはなりますが、単純にマネはできません。
- 海外客を招く方策もおもしろいです。日本観光ツアーの文化体験の一環として打ち出し、観客の一定層を海外客にすることもできるかもしれません。
- 日本人横綱がいないうえ、目立った日本人若手スター力士が少ないことが関心の低下を招いている部分も大きいでしょう。組織的な日本人力士の強化が求められるかもしれません。

Case 3：スキー場の来場者を増やすには

難易度 C

（ⅰ）前提確認

　1980年代後半～1990年代前半のスキーブーム終焉以降、スキー業界は不況のあおりを受けて、来場者が減少し続けています。2008年度の全国のスキー場利用客はのべ約3億人であり、1994年の4割にも満たないといいます。

　スキー場は山村地域の冬場の一大産業であり、地域雇用の創出に果たしている役割は大きいです。スキー産業復活の方向性を考えてみましょう。

　長野県S高原のスキー観光協会の会長さんから、「スキー場の来場者を増やせないものか」との相談を受けたとします。なお、来場者とは「年間のべ来場者数」です。

（ⅱ）現状分析

　まず年間のべ来場者数をかけ算に分解してみましょう。

> 地図：年間のべ来場者数の因数分解
>
> 　年間のべ来場者数＝
> 　（A）日本国内へのスキー旅行者数×（B）S高原選択率×（C）1人あたり来場回数

　上の式において、（A）日本国内へのスキー旅行者数はS高原だけでは手が打ちにくいです。

　S高原は低価格路線で若年層の高評価を得ており、リピーター率は全国スキー場平均を上回る30％という高水準を誇っているといいます。（C）1人あたり来場回数は比較的、高いといえそうです。

　しかし、少子化の影響と若者の中でレジャーとしてのスキーの人気が低迷していることにより、このままのターゲットでは長期的な見通しは開けてきません。よって、本問では（B）S高原選択率にフォーカスし、新規顧

客層の開拓を目指すことにします。

　現在、S高原では旅行代理店・バス会社と提携し、格安ツアーバスを都市部から運行しており、主要な来場者は大学生・20～30代の若手社会人の層です。

　以下、来場者全体を職業、同行形態（個人・友人・団体・家族連れ）、熟練度、エリア（国内・海外）の4つの軸でセグメント分けしました。筆者が実際にS高原に出かけた経験から、来場者が多い順に◎・○・△・×でレベル分けし、現在の来場者の割合をまとめています。ターゲットは青枠で囲まれた層としました。

地図：S高原の来場者セグメント

	学生中心			社会人中心			家族連れ
	個人	友人	団体	個人	友人	団体	
未経験者・初心者	×	△	△	×	○	△	△
中・上級者	×	◎	○	△	◎	○	○

× 国内 / 海外

> **Key Point**　上の表では、「職業」「同行形態」「熟練度」の3つの軸を2次元に落としこんでいます。

　客はスキーの中・上級者が比較的多く、初心者層は開拓の余地があります。

　他の行楽地と同様、個人でスキーに来る人はほぼおらず、友人同士で来る客が最も多いです。団体客・ファミリー層は客単価が大きくなるので、さらなる獲得を目指したいところです。

　さらに視点を上げて、日本人客と外国人客の枠組みで考えると、外国人観光客の取り込みに成功している他のスキー場（北海道ニセコなど）と比

べ、外国人客は数%程度とかなり少ないです。雪が降らない近場の新興国である中国南部や東南アジアからの客足は長期的に拡大トレンドだと思われるので、彼らの誘致を模索してみてはどうでしょうか。

ターゲット候補が見えてきたので、次に来場者がS高原に来るまでに経由する、

地図：S高原に来るまでの意思決定プロセス（4P版）

(D) 知っている (Promotion) → (E) 行きたい (Product) → (F) 行ける (Place/Price)

という3つのステップで現状を見ていきます（ここではAIDMAではなく、あえて4Pを使っています）。

(D) 知っている (Promotion)

　これはS高原の存在をいかにターゲット層にリーチするかという問題です。

　旅行代理店を通じて行う「間接的広報」とこのスキー場が独自に行う「直接的広報」が挙げられます。

　現在、S高原の数あるスキー場では旅行代理店を通じた広報（間接的広報）にほぼ頼っており、大学生協や代理店でのチラシの配布・ポスターでの宣伝、または旅行サイトへの広告出稿などがなされています。国内で名前を知らない人はあまりいないでしょう。

　海外向けには「直接的広報」としてS高原は英語版のホームページを運営しているが、海外ではS高原はあまり有名ではないので、外国人からのアクセスは多くないでしょう。

(E) 行きたい (Product)

　やはり、来場者に強く「行きたい」と思わせるのは、S高原の持つスキー場としての「コンテンツ」(Product)です。

S高原が提供している「コンテンツ」は「スキー・スノーボード」「宿泊」の2つに分けられます。「スキー・スノーボード」はコースの多彩さ、雪の質、ゲレンデへのアクセスなどのことで、評価サイトでの評判を見る限り、S高原の競合スキー場と比して、決して悪くないようです。「宿泊」は旅館・ホテルの質、サービス、温泉、周辺環境などが競争要因となってきます。S高原には豊富な温泉施設が見られますが、現在、タイアップなどは行われていません。

(F) 行ける (Place／Price)

S高原までのアクセスの容易さや価格の問題です。

短期宿泊客は、都内から運行されているツアーバスの他にも、電車や路線バス、乗用車を利用すると思われます。一方、近くのリゾート別荘に滞在する長期宿泊客も一定層存在しているようです。

「宿泊」は民宿に近く、2泊3日1万円という格安の宿泊パッケージを提供しているものから、1泊2〜5万円するようなホテルまで、料金にはある程度幅があります。

(ⅲ) ボトルネック特定

以上の分析を踏まえて、ターゲット候補である団体客、ファミリー層、初心者層、海外客にまつわるボトルネックを整理しておきます。

団体客への直接営業

「団体客」に関しては小中高校の旅行や、大学の部活・社会人スキークラブへの直接営業が効果的といえそうです。

現状では代理店による間接的営業（広報）に任せきりにしているが、足を使って、直接営業（広報）に踏み切るのも、自由裁量が効いてよいかもしれません。

コンテンツの魅力

新たなターゲットである子供や初心者層を呼ぶには、既存のコンテンツ

では対応できなくなりつつあります。また、現在の低価格な学生・若手社会人向けの民宿では、比較的、客単価の高いファミリー層や海外客を呼び込めないと思われます。

海外客への認知度・魅力の不足
　現在、S高原の海外からのスキー客への認知度はニセコなどのスキー場などに比べ、無名といってよいほど低いです。加えて、他の日本のスキーリゾートと比べたS高原独自の価値もあまり訴求できていません。海外代理店との提携も図られていないようです。

（iv）打ち手立案
1．団体客への営業を強化する
　旅行代理店と協力するなどして、地元や都会の小中高校、大学、社会人クラブなど現在の顧客層である学生層、若手社会人層に足を使って営業をかけることが考えられます。価格に敏感な層には、現在、強みとなっているS高原の低価格路線が受けるはずです。

2．ファミリー層・初心者層のためのコンテンツを新設する
　子供が喜びそうなソリ、雪まつり、雪合戦大会など、雪を活かしたスキー以外のイベントを充実させるのはどうでしょうか。また、子供や初心者にスキーファンになってもらうため、無料のスキー教室やスキー大会を大がかりに開催するなど、将来への種まきが必要です。将来的には、客単価の高いファミリー層や海外客のために、中～高級のリゾートホテルの誘致を行うのもありえます。

3．海外客向けツアーを企画する
　知名度を向上させる打ち手としては、海外の旅行代理店と提携、外国のスキーサイト・雑誌などにアプローチすることなどが考えられます。
　アジアの新興国の中所得層には、現在の強みを活かした国内の若者向けと同様の格安のツアーがそのまま活きるかもしれません。一方、高所得層

にはプライベートゲレンデ、個別レッスン、スイートルームなど高級ツアーの提供が有効そうです。近隣の温泉街や神社仏閣、新幹線で1時間半強ほどの東京の観光をツアーにセットで組み込み、<u>外国人に単なる「スキー旅行」以上の価値を提供する</u>ことで、他のスキー場と差別化を進めていくのがいいでしょう。

(ⅴ)打ち手評価

以下、打ち手を優先順位が高い順に並べてみました。

2．ファミリー層・初心者層のためのコンテンツを新設する

将来の市場も視野に入れ、スキー経験の乏しい子供や初心者を掘り起こします。リゾートホテルの誘致は難しいかもしれませんが、手頃な専用コンテンツを用意しアピールすることで、アトラクションの質次第でファミリー層・初心者層を取り込めそうです。

3．海外客向けツアーを企画する

<u>海外客市場で強い北海道ツアーに対し、温泉街や東京の観光地との組み合わせを用いて差別化ができるのではないでしょうか。</u>現在、海外からのスキー観光客のパイは国内客ほど大きくないが、早期から始めることでシェアをとれる見込みは大いにありそうです。

1．団体客への営業を強化する

旅行代理店に依存していた団体営業を、事業者側からも積極的に行っていきます。長期契約がとれれば、スキー場に安定的な利益をもたらすことになります。ただ、今まで間接営業に頼ってきたスキー場は営業ノウハウに乏しく、かつ学校などの団体は長年の付き合いの代理店と契約していることが多いため、新たに参入するのは厳しいかもしれません。

〈反省と今後の課題〉
- 「春スキー」のために春もスキー場はオープンしているものの、客数は伸び悩んでいるようです。ゲレンデに客が少ないので「初心者でも安心して滑れる」という方針で春スキーのプロモーションをできないでしょうか。
- ケースの中で触れていませんが、海外客の来日に関しては言語も1つの問題になるかもしれません。海外客の誘致に成功したニセコでは、町の各所、とくに病院などにスカイプを使った通訳サービスを設置することで言語の問題をカバーしたようです。

Case 4: 交通事故を減らすには

難易度 B

(ⅰ) 前提確認

　日本での交通事故による死亡者数は減少しつつあるものの、2008年度には4962人が交通事故で亡くなっています。1日に14人ほどが命を落とす、身近な生活リスクとなっています。

　事態のさらなる改善を目指す国土交通省から交通事故の数を減らすにはどうすればよいか、相談があったとします。「どうすれば交通事故を減らせるのか」を、ゼロベースで考えてみましょう。今回のケースでは簡単のため、自動車（四輪・二輪）が絡む事故（対自動車、対自転車、対歩行者、対物）に限定して考えます。

(ⅱ) 現状分析

　交通事故が起こる状況を脳内でシミュレーションしてみると、車と人が道路（インフラの一部）の上でぶつかっている状況が浮かびます。

　そこで、交通事故の要因を、車・人・交通インフラの3要因に分けてみました。

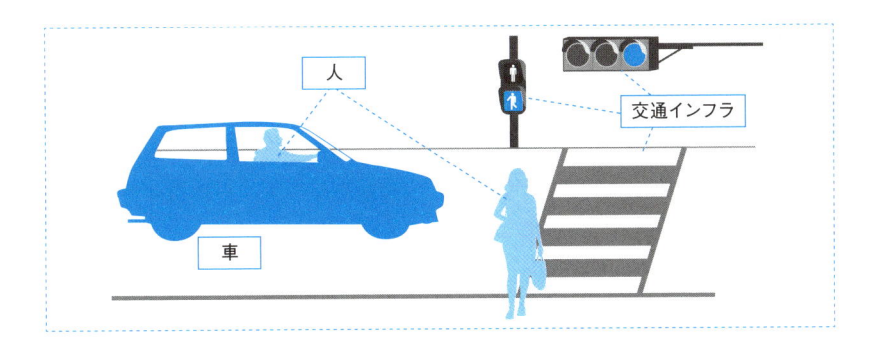

> **Key Point** 地図化にあたり、交通事故の場面をイメージし頭の中に図示することで、関係する要素をモレなくとらえることができます。

車は、「質」（車の安全品質）・「量」（車の総量・交通量）の点から見ることができます。人はドライバーと通行人（大人＋子供）に分けられます。交通インフラは道路、信号などのインフラを指しています。

以上を1枚の地図に落とすと、次のようになります。

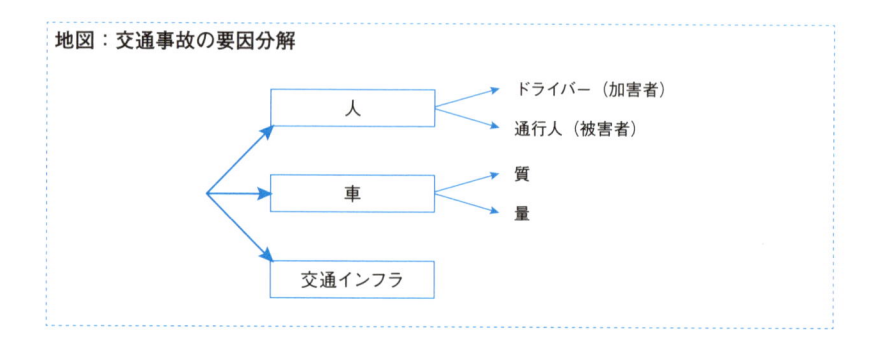

```
地図：交通事故の要因分解

              ┌─────────┐      → ドライバー（加害者）
         ┌──→ │   人    │
         │    └─────────┘      → 通行人（被害者）
         │
         │    ┌─────────┐      → 質
  ───────┼──→ │   車    │
         │    └─────────┘      → 量
         │
         │    ┌─────────┐
         └──→ │ 交通インフラ │
              └─────────┘
```

（ⅲ）ボトルネック特定

　日本車の品質は世界有数の折り紙付きのレベルであり、車の「質」自体に大きな問題があるとは考えにくいです。「量」に関して、単純な車の数と車が走る際の密度を指す交通量という2つのファクターがあります。車の数自体を減らすのは現実的ではありません。交通量に関しては、学校付近など事故が起こりやすい場所では車の通行の制限がすでに行われています。

　日本の交通インフラは戦後長らく整備されてきており、都市部から農村部にいたるまで、基本的な交通インフラが一律に供給されています。途上国のように、道路が舗装されていない、あるべきところに信号がないなどということは考えにくいです。

　よって、「人」に絞って考えてみます。
　まず、通行人ですが、小中学生のような遊び盛りの子供は概して不注意・無防備であり、かつ歩く・走る機会は電車や車を使う大人に比べて多く、事故被害に遭う確率が高いのではと考えられます。また、子供のほう

が学校・親による一括した教育指導がしやすいため、コントロールできる割合も大きいです。

よって、通行人としては、子供にフォーカスして考えることにします。

次にドライバーだが、原因として「ルールを知らない」と「ルールを知っているが守れていない」、に分けられます。さらに後者は故意と過失に分けられます。故意とは飲酒運転・スピード違反・信号無視・運転中の携帯利用など、過失には単なる不注意、標識の見落とし、アクセルとブレーキの間違いなどが当てはまります。

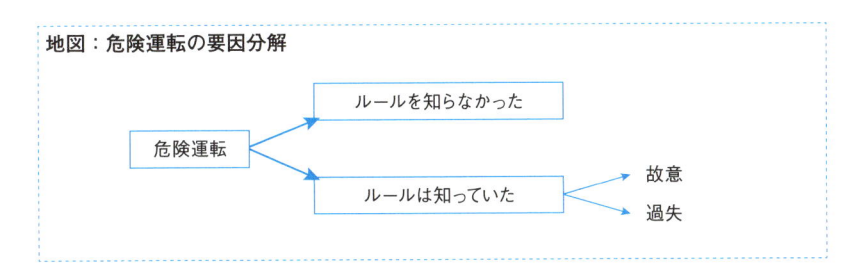

地図：危険運転の要因分解

```
危険運転 ─┬→ ルールを知らなかった
          └→ ルールは知っていた ─┬→ 故意
                                  └→ 過失
```

途上国とは異なり、日本の無免許運転はごくわずかであり、ほとんどのドライバーは免許を持っているので、事故につながってしまうような基本的なルールを知らない人は極めて少数だと思われます。よって、ルールは知っている中での故意の違法行為と過失をボトルネックとして考えます。とくに老人ドライバーや職業ドライバーの過失は近年増えていると聞くので、対策を考えましょう。

(iv) 打ち手立案

1. **子供への交通安全教育を徹底し、登下校をサポートする（→通行人×子供）**

歩行者の「子供」に対する打ち手は、学校による交通安全教育を強化する、PTAの親や地域住民による登下校の見守り運動を行う、などが考えられます。

2．交通違反を厳罰化し、検挙率を上げる（→ドライバー×故意）

　飲酒運転やスピード違反など大事故のキッカケとなる軽罪に対して、罰則をさらに強化すると共に、捜査官を動員し検問を増やすなどして警察による検挙率を上げる方法が考えられます。

3．注意・警報システムを導入する（→ドライバー×過失）

　交通事故が頻出しているスポットに警報アナウンスを鳴らしたり、注意喚起の看板の設置を徹底したりするのはどうでしょうか。もしくは、事故の頻出スポットの地図に基づいて、該当場所に近づくと注意してくれるカーナビを作るのはどうでしょう。

4．高齢者の運転免許を返還させる（→ドライバー×過失）

　一定年齢以上の高齢者を対象として、定期的な運転能力テストをし、不合格者から強制もしくは任意で免許を返還させたりすることが考えられます。ただ、免許の回収の際には、代替手段となる交通手段（電車、バス、他人の運転による乗用車）があるかを確認して、高齢者の生活に配慮する必要がありそうです。

5．長距離ドライバーの労働環境を改善する（→ドライバー×過失）

　夜を徹した過度の長時間運転による事故の予防策として、プロトラックドライバーの労働環境に対し、改善の提案を行うのはどうでしょうか。

（ⅴ）打ち手評価

　以下、優先順位が高い順に打ち手を並べました。

1．子供への交通安全教育を徹底し、登下校をサポートする

　PTAの親や地域住民による交差点などの重点警戒区域の警備も含め、子供に対する打ち手はインパクトが大きいか。

2. 交通違反を厳罰化し、検挙率を上げる

飲酒運転・運転中のケータイ利用・スピード違反などの故意の違法行為に対しては、すでに危険運転致死傷罪が重罰化されており、また警察の交通犯罪に割ける人員のキャパシティにも限界があります。

4. 高齢者の運転免許を返還させる

注意力が低下した高齢者による事故は高齢化によりこれから増加しそうです。ただ、長距離運転の機会も少なく、若者のような無闇な違法運転もせず、交通量の少ない田舎での利用が多いと思われる高齢者による事故は、現状そこまで多いとは思えません。

3. 注意・警報システムを導入する

高速道路を中心として、事故が多い交差点などではすでに似たようなシステムが稼働しているようです。カーナビに関しては、開発費は少なそうですが、インフラの整備には設備投資のコストがかさむため、以前の導入事例から投資対効果を見極め、限定的に実施すべきでしょう。

5. 長距離ドライバーの労働環境を改善する

長距離ドライバーの事故は高齢者の事故と比べても、ボリュームとしてさらに小さいと思われます。また過去にプロドライバーによる事故が社会問題になった際、労働条件の改善がすでに行われているのではないでしょうか。

〈反省と今後の課題〉
- 警察庁『交通事故発生状況（平成16年）』によれば、全事故の約85％が車両同士の事故、10％が人対車両の事故、5％が車両単独の事故だそうです。こう考えると、通行人よりもドライバーのほうが、ずっと大きなボトルネックのようです。
- 交通事故死亡者の年齢別構成を見てみましょう。

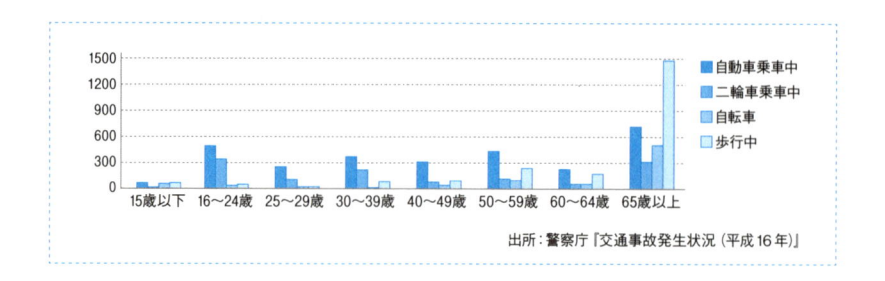

```
1500
1200
 900
 600
 300
   0
      15歳以下  16～24歳  25～29歳  30～39歳  40～49歳  50～59歳  60～64歳  65歳以上
```
■ 自動車乗車中
■ 二輪車乗車中
■ 自転車
■ 歩行中

出所：警察庁『交通事故発生状況（平成16年）』

　自動車運転中の事故は65歳以上のシニアドライバーと24歳までの初心者ドライバーに多いことがわかります。意外にも高齢者ドライバーの事故が多かったです。また、65歳以上の高齢者の歩行中の事故数が突出しており、15歳以下の子供を大きくしのいでいます。ボトルネックを大きく外してしまったようです。

Case5: 万引きを減らすには

難易度 B

（ⅰ）前提確認

警視庁によると、2007年の万引きの被害推定額は約670億円に上るといいます。2008年の振り込め詐欺被害額は約60億7000万円なので、約11倍にあたる計算です。

万引きに苦しむ地元スーパーXから、「万引きの被害額を下げるにはどうしたらよいか」との相談があったとします。

Xに多大な損害を与える万引きを撲滅する作戦を考えましょう。

なお、万引きとは小売店における顧客による窃盗と定義し、窃盗団などの組織犯罪や従業員による内部不正（内引き）は除くものとします。

（ⅱ）現状分析

まず、万引き被害額をかけ算に分解してみることにします。

> 地図：万引き被害額の因数分解
>
> **万引き被害額＝**
> **（A）万引き着手件数×（B）成功率×（C）1件あたり万引き商品数×（D）平均商品単価**

さて店のオーナーから話を聞いてみると、万引き犯は中高生が60〜70％といったところらしいです。

社会人・主婦・シニアの万引き犯を捕まえた場合、例外なく警察に通報しており、最近は徐々に被害が減っているそうです。しかし、中高生の万引き犯を捕まえた場合、30分ほど注意して代金を払わせて帰してしまっているため、どうやらスーパーXの近くにある中学や高校の生徒によるゲーム感覚の万引きが増発しているようです。よって、本問では中高生をターゲットに定めることにします。

現在、この店舗ではフロア全体をカバーするビデオカメラを3台設置し

ており、防犯ゲートも設けられています。しかし、フロアで働いている5人ほどの店員は、万引きの発見までは目が配れていません。また、商品陳列がガサツ、死角が多い、清掃が行き届いていないことで、万引きを誘発しているフシがあります。

次に、犯人が万引き着手に及ぶときの動機を分解してみよう。

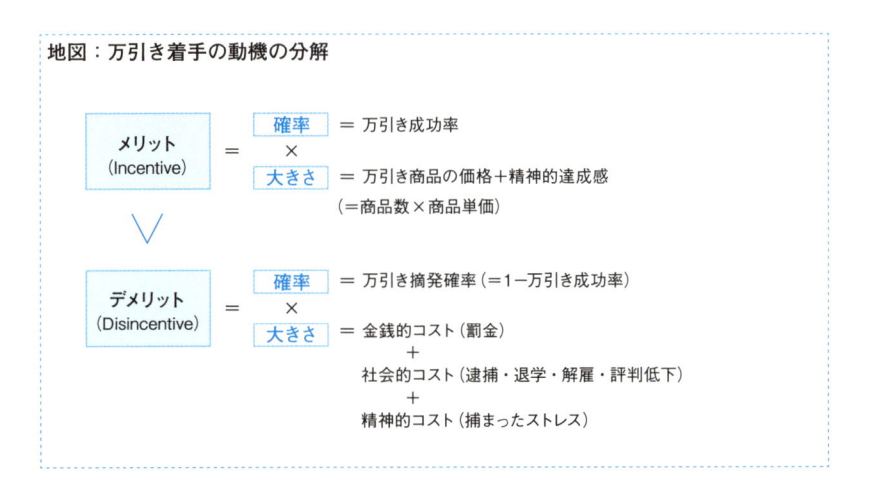

地図：万引き着手の動機の分解

```
メリット         確率    ＝ 万引き成功率
(Incentive)  ＝   ×
                大きさ   ＝ 万引き商品の価格＋精神的達成感
                         （＝商品数×商品単価）
     ∨
デメリット        確率    ＝ 万引き摘発確率（＝1－万引き成功率）
(Disincentive) ＝  ×
                大きさ   ＝ 金銭的コスト（罰金）
                         ＋
                         社会的コスト（逮捕・退学・解雇・評判低下）
                         ＋
                         精神的コスト（捕まったストレス）
```

Key Point　メリットとデメリットを確率と大きさの観点から見るこのフレームワークは、人の行動を促進したり、抑止したりする際に利用することができます。

現在、犯人にとって、万引きのメリットがデメリットを上回っている状況に対し、(A) 万引き着手件数を下げるためには、万引きのメリットを下げ、デメリットを上げることを考える必要があります。

(ⅲ) ボトルネック特定

地図：万引き被害額の因数分解において、

(A) 万引き着手件数は、万引き被害をゼロにするうえで外せないファク

ターです。

　(B) 成功率の低下は、万引き摘発確率を上げるので、(A) 万引きの着手件数自体の減少にもつながります（左ページの図を参照）。店の警戒体制は、非常に重要といえます。

　(C) 1件あたり万引き犯商品数はコントロールが難しく、実現しにくいと思われます。

　(D) 平均商品単価を下げること、つまり高い商品をとりにくくすることは万引き犯にとってのメリットの低下につながり、(A) 万引き着手件数の減少にもつながるかもしれません。

(ⅳ) 打ち手立案
1. 厳格な処罰とその告知を行う（→(A) 万引き着手件数）

　万引きのデメリットを大きくする打ち手です。万引き発見の際にきちんと警察や学校に報告し、学校でも停学・退学など厳しい処分で対応するようお願いしてみるのはどうでしょうか。またそういった対応を学校側で告知してもらったり、店内にステッカーやポスターを貼ったりして、やってくる中高生に訴えましょう。

2. 万引きのネガティブキャンペーンを実施する（→(A) 万引き着手件数）

　万引きのメリットを小さくする打ち手です。「万引きはカッコイイことではない」というイメージを浸透させることができれば、精神的達成感を小さくできるかもしれません。

3. 見回りを強化し、店内環境を整備する（→(B) 成功率）

　監視カメラだけではカバーできない部分もあるので、店員による死角の見守りを強化し、顧客と目を合わせた元気な声かけを促すことが考えられます。必要に応じて、専門の警備員（Gメン）を雇うのもいいでしょう。

また売り場レイアウトや商品陳列を変え、照明を明るくし、清掃を徹底することで、より見通しが効き、心理的にも万引きを抑制するような整然とした店舗環境を作る施策もあります。

4．高価な商品を守る（→(D) 平均商品単価）
　高額な商品はレジの前に置いたり、ショーケースに収めるのはどうでしょうか。レジを通していない商品を店外に持ち出そうとすると警告音が鳴る万引き防止タグをつけたりするのもありえそうです。

(ⅴ) 打ち手評価
　以下、優先順位が高い順に打ち手を並べました。

1．厳格な処罰とその告知を行う
　ステッカー・ポスターはすぐ調達できるうえ、店の要所に貼ることで、抑止のプレッシャーを与えられます。学校での厳罰の告知および実施に関しても、「できれば自校から万引き犯が相次ぐ状況は避けたい」と考える学校の教育姿勢と一致し、実行してもらえそうです。

3．見回りを強化し、店内環境を整備する
　(B) 成功率の低下は万引き被害額に直接効くだけでなく、万引き犯に万引き着手を思いとどまらせることができ、(A) 万引き着手件数の低下につながるので一石二鳥です。

4．高価な商品を守る
　高額な商品をレジの前に置くのはほとんどコストがかからず、それなりの効果がありそうです。万引き防止タグに関してはスーパーの高額商品の価格ではおそらく導入コストが万引き防止効果による便益を上回ってしまうでしょう。

2. 万引きのネガティブキャンペーンを実施する

上記のステッカー・ポスターと同様の方法で展開できるかもしれないが、おそらく上記のアピールほど効果はないと考えられます。なぜならそもそも学生たちは「ルールや権力への反抗」自体に活動意義を見出しており、学校や店といった「大人」の権威は彼らの動機に油を注ぐだけかもしれないからです。

〈反省と今後の課題〉

- コンビニなどでは店員による内引きが万引きよりも被害額が大きい場合もあるようです。背景には、レジのお金に直接アプローチでき1回あたりの被害額が大きくなること、犯行が発覚しにくいことなどがあると推測できます。
- Incentive／Disincentiveの双方を大きさと確率にさらに分解して見るフレームワークは汎用性が高いです。ただ実際のところ、人がこのような合理的な判断基準を用いているかは怪しいところです。

Case 6: テニサーの新人勧誘に成功するには

難易度 C

（ⅰ）前提確認

　毎年、4月になると大学では各サークルが新入生の加入を求めて、新人勧誘活動を開始します（以下、新勧）。その中でも一番のサークル数と部員数を誇るのが、大学生活を彩るテニスサークル（以下、テニサー）です。

　3月中旬の陽気なある日、吉永君は某テニサーXの部長の近藤君から「新勧戦略を立案してほしい」と頼まれました。後輩の青春のため、学生時代の経験知を活かしてみましょう。

　なお、Xは1・2年生が主体となる小規模なテニサーで、通常Xでは毎年15人の新人枠が存在し、希望者多数の場合には2年生による面接（「セレクション」）を行うしくみになっています。しかし、ここ数年、希望者が10人前後で推移していたため、セレクションはありませんでした。近藤君は、今年は定員の2倍である30人の希望者を集めることを目標にしていると語ります。

（ⅱ）現状分析

　まずXのコンセプトによって、ターゲットとすべき新人のタイプは異なってくるはずです。

　そもそもテニサーの目的・活動は、一般的にテニス（On）とテニス以外（Off）に分けられます。テニス以外とは、飲み会やパーティー、遊園地や遠足などのレジャーや、友人・恋人作りなどのネットワーキングを指しています。

　吉永君がXの理念・カルチャーについて、飲みの席で近藤君に深く問いただしてみたところ、Xは「質実剛健」をモットーとして掲げる、かなり異色な（？）テニサーであり、

　　　　テニス（On）：テニス以外（Off）＝8：2

のようなプライオリティを置いていることが判明しました。

　Xの理念・カルチャーを把握した吉永君は、次にターゲット層の特定に入ることにしました。
　Xは先述の通り、テニス（On）を重視しており、基本的に大会結果を追求しています。
　近藤君曰く、一部には大会で優秀な成績を収める経験者もいますが、まったくの初心者も2～3割ほどおり、サークル全体としてはあまり強いとは言えないようです。そこで今回の新歓では、大会で好成績を残せる経験者を優先的に確保したいとのことでした。

　以上より、Xの新歓でのターゲティングの優先順位を表にまとめるとこのようになりました。

地図：テニサーXの新勧ターゲティングの優先順位

Skill（技術） \ Will（意欲）	コミットメント意欲が強い	コミットメント意欲が弱い
テニス経験あり	1	2
テニス経験なし	3	4

> **Key Point**　採用や教育などにおいて、対象となる集団をセグメント分けするときには、この「Will・Skill」が軸の2×2のマトリクスがよく使われるようです。

　さて、ターゲットの人物像が明らかになったら、吉永君はそのターゲットがXに入るまでを例のごとく3ステップに分けて考えてみることにしました。

(A) 注意・興味（Attention／Interest）

まずはXをPromotionを通じて、知ってもらわねば始まりません。

Promotion方法は、「リアル・バーチャル」×「Public・Private」の2×2のセグメントに分けられます。

地図：Promotionの4類型

	Public（1対n）	Private（1対1）
リアル	公式説明会・校内ポスター・ビラ配り	対面勧誘
バーチャル	SNS・メーリングリスト	個別メール

「リアル」とは直接会って話す方法、「バーチャル」とはオンラインでXの情報を知ってもらう方法です。「Public」は1対nで一斉に認知してもらう方法、「Private」は1対1で個人的に認知してもらう方法です。

Xは公式説明会での宣伝や、ビラとポスターを使った大規模な広報活動を行っており、決して認知度が低いわけではないようです。

(B) 欲求（Desire）

次にXに「入りたい！」と思ってもらうために、事前にXの「コンテンツ」を伝えられる形で固めておく必要があります。吉永君は知っているフレームでなかなかうまく切れないので多少躊躇しましたが、以前ビジネス書で読んだことがあるフレームワークを思い出しました。それによると、人が帰属集団を決める要因として"P"から始まる4つの要素が挙げられるといいます（当然、マーケティングの4Pとは区別のこと）。

「理念（Philosophy）」：組織のコンセプトです。Xの場合は「大会で好成績を残す」という目標を掲げています。目標達成につながるような新入部員

を獲得するために組織の理念を変えるのは本末転倒なので、理念は変えないでおきたいところです。

「活動 (Profession)」：コンセプトの具体化としての活動です。Xの場合は「On」の活動である、テニスの練習および試合参加と「Off」の活動であるイベントがあります。

「人 (People)」：入っている人の雰囲気・カルチャーです。Xはテニサーにしては堅めでストイックな雰囲気なので、新入生にはやや生真面目な人の集団に見えてしまっているかもしれません。

「特権 (Privilege)」：組織に入ったことにより、特別に得られる条件の魅力。Xの外部では手に入らないが、Xに入ることにより得られる特権と、Xの中の他のメンバーと比較して優遇されるという2種類が考えられます。

(C) 行動 (Action)

最後のひと押しとして、Xの「コンテンツ」をコミュニケーションを通して、ターゲット層に伝え切らねばなりません。これは「質」×「量」に分けられます。どれだけ効果的なコミュニケーション（「質」）をどれだけの時間（量）をかけて行うかということです。

Xではオリエンテーションや公式説明会、ビラ・ポスターといった、よそのテニサーもやっているお決まりのマスプロモーションをかけていましたが、その他はとくに何もやっていないようです。また近藤君曰く、Xは1・2年が主体のサークルのため、1～4年を網羅している巨大サークルに人数で負けてしまっており、新勧での人員投入において劣位にあるそうです。

(iii) ボトルネック特定

以上の現状を踏まえ、吉永君は後日、近藤君にボトルネックと打ち手を改めて伝えてみることにしました。

全セグメントに対して

・部員の地味なイメージ

　Xでは今まで、メンバーが新入生にどのように見えているかあまり気にしておらず、部員の魅力も伝えていませんでした。真面目なサークルの雰囲気もあって、他のテニサーに比べて地味な印象を与えているようです。

・最終的に入部を決断してもらうしくみ

　Xでは説明会やポスターなどマスなプロモーションには力を入れてきましたが、入部候補者が現れる段階になると個別の勧誘担当が決まっていないなど、最後のひと押しの体制作りがお粗末だったようです。

コミットメント意欲が弱いがテニス経験がある層に対して

・入部の障害となるサークル活動の負担

　コミットメント意欲が弱い人は練習への参加ノルマや、サークル運営の事務仕事の負担といった時間的拘束、さらに部費の金銭的コストを重く感じて、入部をやめてしまうことが多いようです。個人のXへの許容キャパシティに応じて参加できるしくみを作ることが課題です。

(ⅳ) 打ち手立案

1. メンバーのイメージ・マネジメントを意識する

　公式説明会での説明では、サークルの顔となる説明役を、ルックス華やかで、社交的なメンバーが務めることが考えられます。就活での説明会同様、ここで新入生が受ける第一印象は決定的だからです。また新入生に接触する可能性があるその他のメンバーも、事前に勧誘トークを準備したり、見た目に気を配ったりするようにすることも、効果がありそうです。

2. テニス経験者の入部後の立場を優遇し、負担を軽減する

　今回とくに入部してほしいテニス経験者に対して、彼らの入部後の離脱を防ぐため、練習への参加ノルマや、サークル運営の事務方の仕事の負担を軽くするなどの「Disincentive」の軽減をすることが有効だと考えられ

ます。これは同時に彼らにとって「特権（Privilege）」でもあるので、経験者の自尊心をくすぐる効果も期待できます。他にも大会にチームメンバーとして参加できるよう事前に確約することも一考の余地があります。

3. 入部直前のこまめなコミュニケーションを強化する

入部してほしい新入生に対して、1人ずつ専門の担当者を割り当てるのはどうでしょうか。迷惑でない範囲で頻繁に声をかけ、場合によっては授業選択や試験対策の相談も引き受け、信頼関係を築きます。また体験練習会の頻度を上げたり、オリエンテーション合宿を企画したりして、Xのメンバーや同期の新入生との間の人間関係を急ピッチで作ってしまうのもよさそうです。

もし人員不足が目立つならば、最も重要な「テニス経験も強いコミットメント意欲もあり」な新入生に、「質」の高いコミュニケーションができるメンバーの時間（「量」）を集中投下していきましょう。

(ⅴ) 打ち手評価

以上を踏まえて、最終的に吉永君は近藤君に3つの打ち手を、優先度の高い順に提案することになりました。

1. メンバーのイメージ・マネジメントを意識する

大会成績を重視するXは新勧においてややお固い雰囲気を醸し出しており、敬遠されていたフシがあります。改善の余地は大きく、すべての層に効くうえ、新入生に触れるメンバーの人選に気を配るのがメインなので、実行もそれほど難しくなさそうです。

3. 入部直前のこまめなコミュニケーションを強化する

自分たちの代の経験を振り返る限り、最終的にいくつかの団体候補から選択を迷っている学生は少なからずいます。こまめなコミュニケーションはそういった学生に対して、Xの存在感を高めるとともに、不安な新入生

に居心地のよい居場所を与えられそうです。

2. テニス経験者の入部後の立場を優遇し、負担を軽減する

テニサーへのコミットメント意欲はないが、テニス経験がある人という最重要ではない層に向けた打ち手なので優先度は下ります。またこの打ち手はテニス経験のない人に不公平感を抱かせ、入部後に変ないざこざや軋轢(あつれき)を生むので止めたほうが無難かもしれません。

はじめは提案された打ち手にとまどいを隠せない近藤君でしたが、話し合いを続けるうちに、最終的には提案に納得してくれたようです。意気揚々と帰る近藤の背中を、吉永君は満足げに見送りました。

〈反省と今後の課題〉
- 企業が新卒採用の際にとる打ち手と共通点があるはずなので、企業の採用戦略から学ぶこともできるかもしれません。
- 女子生徒が少ない大学では、まず女子の新入部員を優先的に確保することで、女性目当てで男子新入生も自然と加入するという戦略を実行するサークルもあるようです。ただその打ち手はXのようなストイックなサークルにはそぐわないでしょう。

Case 7: ボウリングのスコアを上げるには

難易度 A

(ⅰ) 前提確認

　学生のころから親しんできた娯楽の定番、ボウリング。しかし、プロリーグを頂く立派なスポーツでもあります。スポーツとしてのボウリングを分析し、「スコアを上げるにはどうすればいいか」、考えてみましょう。

　吉永君の同期の高橋君は3カ月で現在の平均スコア85を170にするという壮大な目標を掲げました。高橋君はそのための練習法を聞くべく、吉永君に相談をもちかけました。聞くところによると先日、友人にボウリングの下手さを馬鹿にされ、最高スコア150の彼の鼻を明かしたいそうです。

(ⅱ) 現状分析

　まず高橋君の現状の投球成績を把握することにしました。吉永君が彼の過去10回のスコアシートをもらい、分析してみたところ、平均成績は以下のようになっていました。

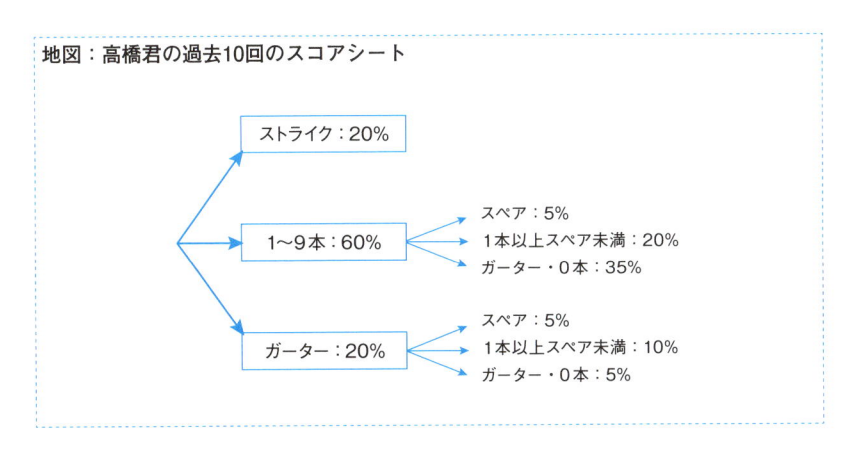

```
地図：高橋君の過去10回のスコアシート

                 ストライク：20%

                                   スペア：5%
                 1〜9本：60%  →   1本以上スペア未満：20%
                                   ガーター・0本：35%

                                   スペア：5%
                 ガーター：20%  →   1本以上スペア未満：10%
                                   ガーター・0本：5%
```

　ここから以下の示唆が得られます。

- 1投目のガーターが20%を占め、スコアを著しく下げている
- 2投目のスペア率が5%÷60%＝8.3%となっており、1投目のストライク率20%の半分以下にとどまっている

　上級者レベルである平均スコア170を達成するためには、これら2つの欠点を克服し、かつハイスコアの要となるストライクを積み重ねていかねばなりません。
　これに加え、毎回ゲーム後半になると投球成績が平均35〜40と、前半の45〜50に比べ若干低くなることもわかりました。

　次に吉永君は得意の地図化スキルでボウリングのスコアを決定づける要素を洗い出してみることにしました。まず、プレイヤーの「個人」とプレイの「環境」に分けます。さらに「個人」をスポーツの基本、「心」「技」「体」のフレームワークで切り、「環境」を「ヒト」「モノ」に分類します。

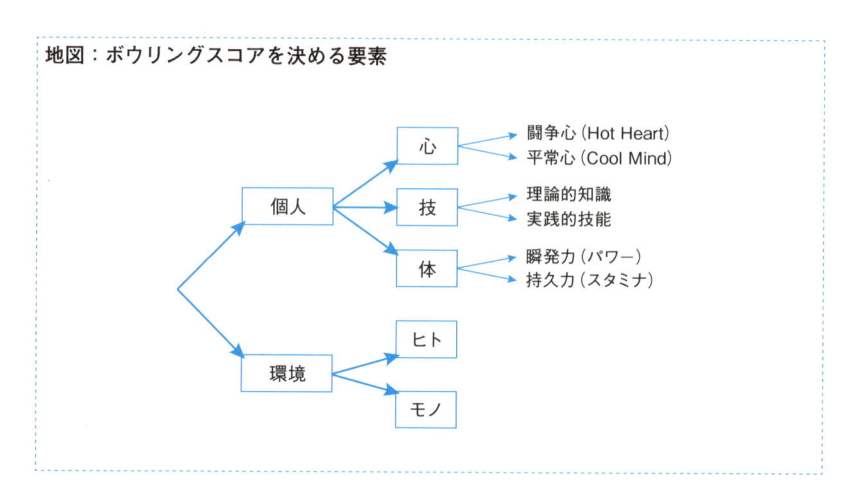

地図：ボウリングスコアを決める要素

```
                ┌─ 心 ─→ 闘争心 (Hot Heart)
                │        平常心 (Cool Mind)
        ┌─ 個人 ┼─ 技 ─→ 理論的知識
        │       │        実践的技能
        │       └─ 体 ─→ 瞬発力 (パワー)
        │                持久力 (スタミナ)
        │
        └─ 環境 ┬─ ヒト
                └─ モノ
```

> **Key Point**　「心」「技」「体」のフレームワークは、使用頻度は低いながらも、特にスポーツに関する問題では切れ味を発揮します。身近な3文字（4文字）熟語には、意外とフレームワークとして使えるものが多いです。

第1に「心」。スポーツ一般で必要になるマインドとは、闘争心（Hot Heart）と平常心（Cool Mind）です。高橋君自身が語るところによれば、後半にスコアが伸び悩む背景の1つにプレッシャーがかかる場面で時々テンパってしまい、それに打ち勝つ平常心が欠けていることがあるといいます。

　第2に「技」。これは「理論」的知識と「実践」的技能に分けられます。

　「理論」的知識ですが、たとえばボールを狙い通りに投げるための方法論や、どこにボールを投げればスペア・ストライクがとれるかといった戦略・戦術がこれにあたります。ボウリングは今まで友人の見様見真似でやっていたので正しい「理論」はほとんどわかりません。

　次に「実践」的技能ですが、これは「理論」に基づいて実際に狙い通りのところに投げることです。「理論」を知らないので現在正しく「実践」はできていませんが、高橋君の運動神経は悪くないので「理論」を学んで練習すればうまくいくようになるはずです。「技」の向上によるコントロールの安定で、ガーターやスペアの取りこぼしをかなり減らせると考えられます。

　第3に「体」。これは「瞬発力」（パワー）と「持久力」（スタミナ）に分けられます。

　高橋君はほっそりとしたスリムな体型をしており、「瞬発力」を発揮するための筋力に乏しいです。ボールがまっすぐにいっても球威に欠け、なかなかストライクにつながらないのはこのためだと思われます。また3ゲーム1時間ほどなので、幸い息が上がったりすることはないそうで、「持続力」には問題がなさそうです。

　次に「環境」の要素を見てみます。

　「モノ」に関しては、まずボウリング場に関して、現在高橋君が通っているボウリング場は最新機器がそろい、よく整備もされており、スコアに悪影響を及ぼしていることはなさそうです。

　用具は現在ボウリング場で貸し出されるものを使い、ボールの重さはその日の気分で変えているそうです。しかしボウリング部の友人に聞いてみ

たところ、シューズは足にフィットしたもの、ボールは筋力や指の太さにあったものを使うことで、スコアの安定につながるようです。

　最後の要素である「ヒト」は、どんな人と一緒にプレイするか、ということです。高橋君はボウリングは1人で気分転換に行くことが多いですが、今までの経験や彼の気質からいうと、誰かと話しながら楽しくプレイするよりも、このまま1人で黙々と行うのが最もスコアが出るようです。

（ⅲ）ボトルネック特定

　吉永君は以上の現状分析をふまえ、ボトルネックを洗い出してみました。

コントロール

　スコア低迷の原因であるガーターとスペア率の低さは、コントロール不足（「技」不足）に起因します。

平常心の維持

　プレッシャーがかかる場面でミスをしがちなことは、スコアメイクに大きな影響がありそうです。

球威を決定づける筋力

　さらに上級スコアである170を目指すためには、安定したストライクが不可欠です。

　これにはコントロールに加え、球威が重要になってきます。ボウリングに必要な下半身、上腕、手首、中指・薬指などの筋力増強がカギとなってくるでしょう。

借り物の用具

　自分にあった用具を購入することで、意識も高まり、パフォーマンスが安定するでしょう。低いスコアを用具のせいにしないためにも、用具を入手したいところです。

（ⅳ）打ち手立案

1．ボウリング教室に入会する
　ボウリングのレッスンに参加し、正しい「理論」を身につけるのがよさそうです。目標達成期限がわずか3カ月という短期であることを考えると、独学・独習は厳しいと思われます。

2．場数を踏む
　プレッシャーがかかる場数を踏む打ち手も考えられます。練習回数・大会経験を増やすと同時に、ある一定の目標スコアを2週間ごとに設け、未達成の場合は相談相手である吉永君にご飯をおごるというルールを設けるというのもおもしろそうです。

3．日々、筋力を強化する
　毎日、自宅でのスクワットで下半身を、ダンベル・トレーニングで上腕・手首・中指・薬指を鍛えるのはどうでしょうか。買い物袋・バックを指だけで持つように習慣づけるのもよいかもしれません。

4．マイボール・マイシューズを購入する
　道具は友人から中古品を譲り受ける手もありますが、購入することで高品質なものを手に入れられる上、元をとらなければという意識が生まれ、練習にも身が入るはずです。

（ⅴ）打ち手評価
　以上を総合的に考えて、以下のように優先順位をつけてみました。

1．ボウリング教室に入会する
　「餅は餅屋」、目標達成期限がわずか3カ月という短期であることを考えると、あたりまえのようですが、やはりプロに任せるのが一番です。自動的に仲間も得られるよいしくみでしょう。高橋君は1人でプレイするのが好きではあるようですが、定期的にボウリングせざるを得ず、仲間と切磋

琢磨できるという長所があります。

3．日々、筋力を強化する
　地味ながらも、徐々にボディーブローのように効いてくるはずです。1でコントロール（「技」）を、3で球威（「体」）を磨き、ストライク確率を上げれば、ボウリングのスコアは劇的に上昇するのではないでしょうか。

4．マイボール・マイシューズを購入する
　用具購入がスコアアップに直接つながるかはわかりませんが、パフォーマンスの安定にはつながると考えられます。何より元をとらねばならないという意識が生まれ、練習継続のよいIncentiveとなります。
　シューズは3000円ほどで入手可なので、300円レンタル×10回以上行けば元がとれる計算です。ボールも5000円以下で手に入れられます。投資としても高すぎないでしょう。

2．場数を踏む
　とにかくボウリングの緊張感に慣れることでかなり平常心は養えるはずです。ただ他の打ち手に比べ、効果がわかりにくいのが難です。

　3カ月後、自らに猛特訓を課した高橋君は173の自己ベストを達成し、見事、嫌味な友人の鼻っ柱を折ったそうです。

〈反省と今後の課題〉
- ボウリングの球の威力を決定する要素としては球の速さ・回転・ボール自体の重さの3つがあるようです。ボウリングの球を分析の地図の中に入れておきながら、ボールの重さという要素は完全に落としてしまっており、地図化したあとの各要素の検討をきちんとする必要がありそうです。

Case 8：睡眠を改善するには

難易度 B

（ⅰ）前提確認

　人間のパフォーマンスを支える睡眠。『週刊東洋経済』の記事によれば、睡眠に何らかの問題を抱えていると自覚する人は4割超にも上るといいます。「どうすればよりよい睡眠をとることができるか」を、考えてみましょう。

　なお、本問では睡眠時間は各自の生活スタイルによって、ベッドインからベッドアウトまでの時間が決まると考え、所与とします。すなわち、与えられた時間制約の下で睡眠から得られる体力回復・精神的満足感を「睡眠利得」と定義し、その最大化を目指します。

（ⅱ）現状分析

　大きく睡眠行動を時系列的に3つに分けると、

　　寝付き：ベッドイン→入眠　　寝る：入眠→覚醒
　　寝起き：覚醒→ベッドアウト

の3つに分類できます。

　これを1枚の地図に落とすと、以下のようになります。

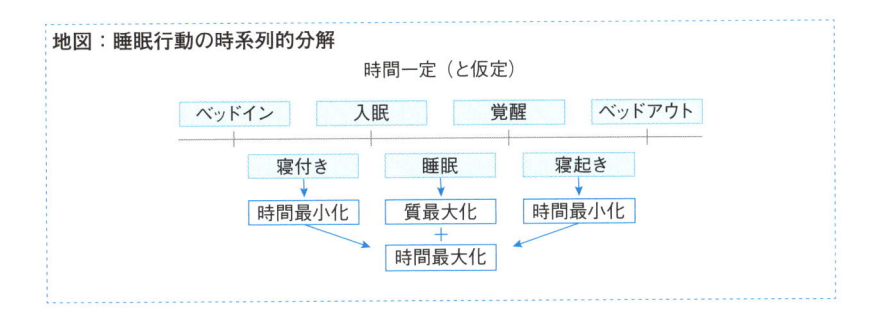

```
地図：睡眠行動の時系列的分解
                時間一定（と仮定）
    ベッドイン    入眠        覚醒      ベッドアウト
    ├─────────┼─────────┼─────────┼─────────┤
          寝付き       睡眠        寝起き
         時間最小化   質最大化    時間最小化
                       ＋
                    時間最大化
```

> **Key Point**　時系列で考えると、物事を確実にMECEに把握することができます。先の議論展開を考えつつ、荒すぎず、細かすぎないように分解しましょう。

　ベッドインからベッドアウトまでの一定の時間の中で、「睡眠利得」を最大化するためには、つなぎ目の時間である「寝つき・寝起き」の時間を最小化し、「睡眠」の時間を最大化し、かつ「睡眠」の質を最大化する必要があります。

　「寝付き」のための時間と「睡眠」の質はともに以下のような要素によって決定づけられています。

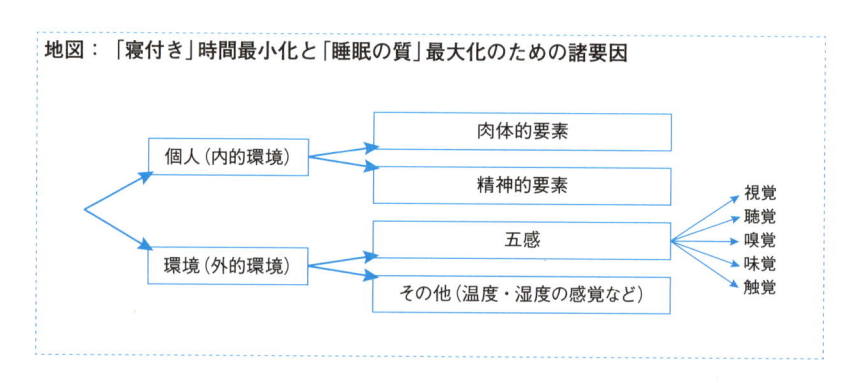

```
地図：「寝付き」時間最小化と「睡眠の質」最大化のための諸要因

                    ┌─→ 肉体的要素
       個人（内的環境）─┤
      ↗             └─→ 精神的要素
                                          ┌→ 視覚
                    ┌─→ 五感 ─────────────┼→ 聴覚
       環境（外的環境）─┤                   ├→ 嗅覚
      ↘             │                   ├→ 味覚
                    └─→ その他（温度・湿度の感覚など）  └→ 触覚
```

　ここでの「個人」とは睡眠時の自身の状態に関わる要素、「環境」とは睡眠行動時の周囲の状況に関わる要素です。
　「個人」は「肉体」的要素と「精神」的要素に分けられます。

　「肉体」的要素とは疲労、睡眠の前の食事や飲酒、尿意、健康状態（頭痛や鼻づまりなど）、「精神」的要素とは、興奮状態や悩みや不安などを指します。
　そして、それぞれのボトルネック候補に対し、以下のような打ち手が想定されます。

「個人」×「肉体的要素」に対して
・適度な運動やストレッチで疲労感を得る
・寝る前にトイレに行く
・頭痛や鼻づまりの薬を服用する
・就寝の前数時間は明るい画面（PC・携帯）を見ない
・毎日同じ時間に寝て、入眠リズムを作る

「自分」×「精神的要素」に対して
・交感神経の鎮静化：PCやゲームなど寝る前に激しいことをしない
・副交感神経の活性化：穏やかな読書をする、ホットココアを飲む

　「環境」のそれぞれの要素は、人間の感覚機能である「五感」、すなわち「視覚」（暗さ）、「聴覚」（静かさ）、「嗅覚」（アロマなどの癒し系の香り）、「触覚」（寝具の肌触りなど）、「味覚」（これは今回、関係ないでしょう）と「その他」（温度・湿度など）に分けられます。

　以下、同様にそれぞれに対応する打ち手を列挙しておきます。

「環境」×「視覚」に対して
・電気を消す、カーテンを閉める
・夫婦で起きる時間や寝る時間が違うなら、相手の照明使用時に備えてアイマスクをつける

「環境」×「聴覚」に対して
・夏場は窓を閉めてクーラーをつける
・耳栓をする
・騒音の原因を取り除く（例：近所の家がうるさい場合、直接、もしくは大家・警察に訴える）

「環境」×「触覚」に対して
・自分にあった硬さのベッドや枕を購入する
・肌触りがいい羽毛布団を使う

「環境」×「嗅覚」に対して
・リラクゼーション用の香水をまく
・アロマキャンドルをともす

「環境」×「その他」に対して
　・温度に対して
　　厚着／薄着する、布団を増やす／減らす、暖房／冷房をつける、カイロ・湯たんぽを投入する
　・湿度に対して
　　加湿／除湿機を使う

　さて、最後に「寝起き」時間の最小化、すなわち自分自身を起きるように説得する「ベッドの上での戦い」です。この早期決着のためには、自分自身に「アメ」と「ムチ」を用意する必要があります。

「アメ」に関して
　・シャワー・散歩・コーヒーなど、起きた直後に楽しみなイベントを入れておく

「ムチ」に関して
　・めざまし音や窓から差し込む日光、その他、早朝のアポを強制的に入れておく

〈反省と今後の課題〉
● Offの時間がとりにくい職業に就いている人をモデルとしてベッドインからベッ

ドアウトまでの時間は所与としましたが、職業によってはより自由に時間を設定することができるはずです。また仕事が休みの土日であれば、同様に自由な睡眠がとれるのではないでしょうか。

- 一般に睡眠時間は長すぎても短すぎても、トータルでの睡眠の質は低くなるといわれています。また睡眠時間が1.5の倍数（時間）だと睡眠のリズムに合っていて疲れを感じず起きられるそうです。
- 五感のフレームワークでは捕えきれない部分について「その他」を使わざるをえませんでした。「その他」を使えば当然表面上は漏れのない状態を作れますが、実際はいかに「その他」の項目の中の見落としを減らすかが問題になります。

Case 9：ランニングを続けるには

難易度 B

(ⅰ) 前提確認
　運動不足のために一念発起して、ランニングを始める人は多いですが、継続できている人は少ないのではないでしょうか。今度こそ習慣化するために、「ランニングを続けるにはどうすればいいか」、そのしくみ作りのための打ち手を考えてみましょう。

(ⅱ) 現状分析
　まずランニングを続けるための動機であるインセンティブを分解してみましょう。大まかに「アメ・ムチ」×「精神的・物理的」の4つが考えられます。

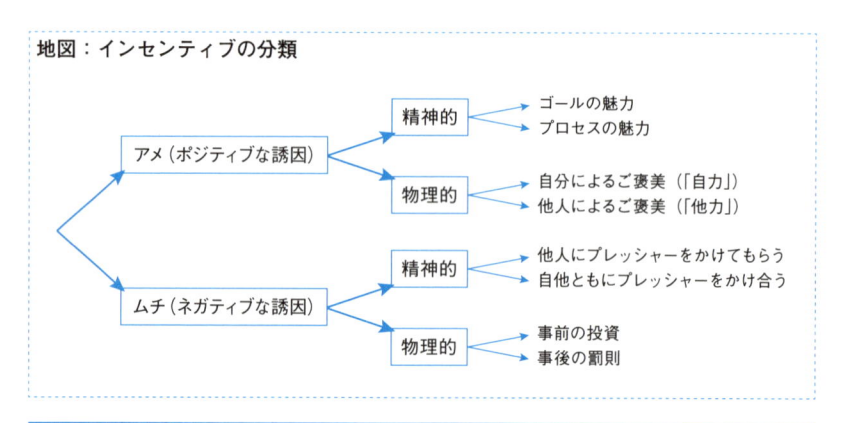

```
地図：インセンティブの分類

                      ┌─ 精神的 ─┬─ ゴールの魅力
                      │          └─ プロセスの魅力
   アメ（ポジティブな誘因）─┤
                      │          ┌─ 自分によるご褒美（「自力」）
                      └─ 物理的 ─┴─ 他人によるご褒美（「他力」）

                      ┌─ 精神的 ─┬─ 他人にプレッシャーをかけてもらう
                      │          └─ 自他ともにプレッシャーをかけ合う
   ムチ（ネガティブな誘因）─┤
                      │          ┌─ 事前の投資
                      └─ 物理的 ─┴─ 事後の罰則
```

> **Key Point**　「アメ・ムチ」「精神的・物理的」はマトリクスにもできますが、さらに分解して2×2×2にするためにあえてツリーを使っています。

　まず、「アメ」とは「行動に駆り立てるポジティブな誘因」のことです。これには、「精神的」なものと、「物理的」なものが考えられます。

「精神的」なものとは、

プロセスの魅力：走った日付・距離を記録する達成感や、気が置けない友人とともに綺麗な景色を見ながら走る爽快感

ゴールの魅力：走って得られるスリムな体形・風邪に負けない体力

などを指し、「物理的」なものについては、

自分によるご褒美：走ったあとのビールやシャワーという自分への報酬

他人によるご褒美：マラソン大会の賞金・賞品など外部から与えられる報酬

などを指しています。
　そして、それぞれのボトルネック候補に対し、より具体的には以下のような打ち手を想定しています。

「アメ」×「精神的」に対して
・ゴールの魅力
　体形の改善と体力の増強という自分の2つのゴールを明確にします。その2つの目的を紙に書いて家に貼ったり、日々、財布と筆箱に入れて持ち歩くようにしましょう。
・プロセスの魅力
　走った記録を残して小さな達成感を味わうため、手帳に走るべき日をあらかじめ記入し、走ったあとに随時、チェックと走行距離をつけていきます。また、ランニング用に携帯音楽プレイヤーを購入し、音楽のリズムとともに軽快に走るのもいいでしょう。

「アメ」×「物理的」に対して

- **自分によるご褒美（「自力」）**
  走ったあとのみビールを飲むことを習慣づけます。ビールの買いだめを止め、ランニングの帰りにコンビニで1本ずつ調達するようにすると続けられそうです。
- **他人によるご褒美（「他力」）**
  自分にあったレベルの近くの市民マラソン大会に参加し、賞品獲得を目指します。また、友人とベストタイムを勝負し、負けたほうがご飯をおごるのもアリです。

一方、「アメ」に対して「ムチ」とは、「行動に駆り立てるネガティブな誘因」のことです。これに関しても同様に、「精神的」なものと「物理的」なものがあります。

「精神的」なものには、

他人にプレッシャーをかけてもらう：年賀状、SNS、twitterなどでランニング継続を宣言するなど、他人によるモニタリングがかかる状況に自らを意図的に置く

自他ともにプレッシャーをかけ合う：ランニング仲間を作るなど、一緒にモニタリングし合えるチーム関係を持つ

などがあり、

「物理的」なものには、

事前の投資：元をとらねばと危機感を掻き立てるため、ランニングウェア・シューズなどの用具を先に買う

事後の罰則：走らなかったらランニング仲間にご飯をおごる約束をする

などがあります。

そして、それぞれのボトルネック候補に対し、より具体的には以下のような打ち手を想定しています。

他人にプレッシャーをかけてもらうに対して
自らのブログ・SNSでランニング継続を宣言し、毎日の走行距離・ルートをアップしていくことが考えられます。さらに証拠写真として、風景を掲載するルールを設けて、ランニング習慣を他人の目にさらすのも効果がありそうです。

自他ともにプレッシャーをかけ合うに対して
ランニングサークルを立ち上げ、週2回皇居の周りを走るアポを入れることが考えられます。また仲間と楽しく話しながら走ることで、「アメ」×「精神的」の「プロセスの魅力」にもつながるでしょう。

事前の投資に対して
靴やウェアなどランニング用品について、できる限り高い本格的なものを自腹で買うのはどうでしょうか。加えて、ジョギングのためにそれを買ったことを周囲に喧伝することで、周りに「無駄遣いのイタイ人」と思われたくないという思いから「ムチ」×「精神的」の効果も得られるかもしれません。

事後の罰則に対して
ランニングをサボったら、一定額寄付したりするようにルールを定めておくのもいいでしょう。自分ではなかなか自分自身に罰則が執行できないので、よほど意志の強い人以外は他人にプレッシャーをかけてもらうこととセットになるかもしれません。

〈反省と今後の課題〉
- 当事者の個別の状況を考えない一般解の問題ではありますが、少々具体化した打ち手を書いてみました。各ボトルネックの打ち手はあくまで例であり、個々人に対応したよりよい打ち手が存在するでしょう。
- この問題の地図はさまざまな場面に適用できます。たとえば、Project8「英語を話せるようになるには」やCase7「ボウリングのスコアを上げるには」、Project9「ダイエットするには」で立てた問題解決の方法を挫折せずにやりとげるために、このCaseで取り上げた方法を応用して使えます。

厳選 フレームワーク 50

表の見方　　▼フレームワーク名　　▼頻度　　▼コメント

フレームワーク名	頻度	コメント
原因（Cause）・結果（Effect）	S	問題解決の基本中の基本です。原因にアクションを加えることで、結果を出したり、妨げたりします
主張（Point）・根拠（Reason）	S	他人に自分のアウトプットを理解してもらうための基本フレームです
メリット・デメリット	S	とくに打ち手評価において多用します
Incentive・Disincentive	A	個人や組織の行動の動機を分析するフレームです。メリット・デメリットを狭く言い換えたものです。それぞれを大きさ×確率で分解できます
アメ・ムチ	A	Incentiveのうち、「ポジティブな誘因」を「アメ」、「ネガティブな誘因」を「ムチ」と呼んでいます
Impact（実効性）・Feasibility（実行性）	S	打ち手評価における、もっとも基本的なフレームです。Time-Spanを考えることもあります
費用対効果（Cost Performance）	A	上の応用形です。「効果＝Impact」、「費用＝Feasibilityの一要素」と考えてよいでしょう
インプット・アウトプット	A	ヒト・モノ・カネ・情報などの流れを表す非常に汎用性の高いフレームです
需要・供給	A	経済学の基本フレームです。とくに経済現象の分析に使うとパワーを発揮します
ストック・フロー	A	社会科学の数量を分類したフレームです。数量がどちらであるか、心に留めておきましょう
公（Public）・私（Private）	A	問題のジャンルが「公・私」で異なると、可能な打ち手の範囲が変わってきます
On・Off	A	人・組織の行動を分けることができます。現状分析に使えることが多いです
個人・環境	A	社会問題は「個人」的（内的）要因と「環境」的（外的）要因の複合現象であることがほとんどです
加害者（能動）・被害者（受動）	A	犯罪や公害など、「加害者」と「被害者」が明確な社会問題における切れ味がよいです
外的・内的	A	外部環境・内部資源、外面・内面など、さまざまな分類に幅広く使えます
予防・対処	A	打ち手は、問題を事前に「予防」するアプローチか、事後に「対処」するアプローチか、に分けられます
自発（「太陽」）・強制（「北風」）	A	打ち手は、「自発的」な行動を促すアプローチか、「強制的」に行動させるアプローチか、に分けられます
自力・他力	B	独力でやるか、人の助けを借りるかです。打ち手の地図化に使われます
質・量	A	打ち手は「質的改善」か「量的改善」か大きく2つに分かれます
物理的・精神的	A	「Incentive・Disincentive」×「物理的・精神的」の2×2のマトリクスなど、さまざまな場面で多用します
一般・特殊	B	ある要因を一般的・普遍的なものと固有・特殊なものに分けるフレームワークです
衣食住	B	人間が生きる上での物理的な基本条件です。それに加え、精神的な充実が必要です
頭（Cool Head）・心（Warm Heart）・体	B	人間を分析するときに意外と使えます。「頭」がよくて、「心」優しい長身（＝「体」）のイケメンはモテるのです
心・技・体	B	スポーツの有名フレームですが、ビジネスパーソンにも適用可能です
Will（Mind）・Skill	A	人間の特性を2つに分けた有名フレームです。やる気があり、能力もある人材は貴重です

知識（理論）・経験（実践）	A	成長の基本サイクルです。「インプット・アウトプット」と言い換えられるかもしれません
戦略・戦術・戦闘	S	問題解決はマクロな「戦略」、ミクロな「戦術」を立て、その実行における「戦闘」を経て達成されます。本書の守備範囲は「戦略」と「戦術」です
五感（視覚・聴覚・嗅覚・触覚・味覚）	C	あまり使いませんが、人間の感覚を分類したものです。温度・湿度の感覚はこれらには入らないようです
5W1H	A	あらゆる事象の整理に広く使えます。打ち手の具体化では5W1H全てを詰めるのが理想です
PEST	C	マクロな外的環境を見る「政治・経済・社会・技術」の4つの視点の英語の頭文字をとったもの。問題を高く俯瞰したいときにたまに使います
3C	A	経営戦略論の基本フレームです。思考の裏に埋め込んで、常に3つの視点のモレがないかを確認しましょう
STP	B	マーケティングのフレームで、「Segmentation＋Targeting」誰に（Who）「Positioning」何を（What）売るか、です
4P	S	同じくマーケティングの有名フレームで、どう（How）売るか、です。応用形も含めて、超頻出です
AIDMA	A	Attention（注意）→Interest（興味）→Desire（欲求）→Memory（記憶）→Action（購買）という時系列の購買プロセスです。適宜、変形して使います（本書ではMemoryを省略して使用しています）
プロダクト・サービス	A	提供価値の媒体として、モノ（有形物）である「プロダクト」と、モノ以外（無形物）の「サービス」があります
機能・デザイン	B	製品の魅力は、実質的な「機能」的側面と見た目の「デザイン」的側面の組み合せで決まります
Push・Pull	B	4PのPromotionはPull（テレビ・新聞・ラジオ・雑誌などのマス広告）とPush（営業・ビラ配りなどの「押し」売り）に分けられます
リアル（地上戦）・バーチャル（空中戦）	B	ビジネスモデルやPromotion手法の分類など、幅広く使えます
売買市場・賃貸市場	C	所有するためのマーケットか、賃し貸りするためのマーケットかの区別です。事業を整理するために、使えるかもしれません
新品市場・中古市場	C	新品を売るPrimary Marketか、中古品を売るSecondary Marketかの区別です。住宅市場や自動車市場が「売買・賃貸」×「新品・中古」でキレイに切れます
新規・既存	A	セグメンテーションとターゲティングの際によく使います。新規客の拡大か、既存客の深耕か、2つの攻め方があります
個人・法人	A	問題解決に関するあらゆるプレイヤーは、「個人」と「法人」に分けられます
個人・世帯	B	上の「個人」をさらに分けると、構成員の「個人」（上の「個人」とは次元が違います）とグループとしての「世帯」に分けられます
都市・田舎	B	「都市」と「田舎」では、人口動態やライフスタイルが大きく違ってくるでしょう
ヒト・モノ・カネ・情報	B	組織の内部資源として、大きく4つが挙げられます。ヒト・モノだけを使うこともあります
時系列	A	フレームというよりも、物事を一元化する「物差し」です。さまざまな物事を「時系列」に配置すると、キレイに整理できます
朝・昼・夕方・夜・深夜／春夏秋冬	B	「時系列」の応用形で、1日や1年を時系列的に分割したものです
年齢・性別	B	マーケティングのセグメンテーションでもっともオーソドックスな軸です。「子供・青年・中年・高齢者」は年齢の切り方の具体例の1つです
頻度・同行形態	C	遊園地やミュージカルの来場者分析などで使うセグメンテーションの軸です。頻度はリピート数、同行形態は夫婦・家族・友人などのグループ属性を指します
社会人・学生（社会的属性）	B	顧客を「社会的属性」で、2つにセグメント分けしたものです。適宜、未就学児や引退した高齢者、主婦などを含めます

問題解決ケース 210選

僕たちが解いてきた問題の中から、良問をジャンル別に厳選しました。中には明確にジャンル分けできないものもあります。日々のトレーニングに使っていただければ幸いです。

表の見方　▼問題　　　▼難易度　　　▼コメント

みんなのため×Private 60問

ミクロ系　30問
特定の1店舗を想定した「ミクロ」な視点での問題解決です。

問題	難易度	コメント
スターバックスの売上を上げるには（以下、売上増加問題15問）	B	1日の中で時間帯ごとに購入される飲み物・食べ物は異なってきます。
ファミリーレストランの売上を上げるには	B	Case3のスキーのように同行形態を考えてみましょう。客単価などが違います。
ラーメン屋の売上を上げるには	B	稼動率の高い時間帯は昼・夜・深夜となるでしょうか。
居酒屋の売上を上げるには	C	最近ではランチにも進出しているようです。昼と夜を明確に区別して考えるとよいでしょう。
カラオケボックスの売上を上げるには	B	売上として、滞在時間に比例した料金と飲食代の2つが考えられます。
パチンコ屋の売上を上げるには	C	「100円で玉25個」のような形式で玉を売るビジネスです。
サービスエリアの売上を上げるには	C	平日と休日で売上は相当違いますが、想像しやすい方で考えてみてください。
ガソリンスタンドの売上を上げるには	B	ガソリン補給以外にも、タイヤなどの車用品を販売したり、洗車サービスを提供したりしています。
占い師の売上を上げるには	C	売上は、「労働時間×客数/h×客単価」で表されます。
タクシーの1日の売上を上げるには	A	終電後は割増料金で距離も長いため、客単価が大きくなります。
百貨店の売上を上げるには	C	百貨店の伝統と革新の両立が焦点になりそうです。また当然、フロアによって、客層や商品が異なってきます。
高級ホテルの売上を上げるには	B	ホテルは宿泊に加え、どんなサービスが提供できるでしょうか?
ペットショップの売上を上げるには	B	最近では、好きな動物を抱っこしながら、ショッピングモールで買い物できる店舗もあるようです。
クリーニング屋の売上を上げるには	A	一店舗のカバーするエリアの需要をどう設定するかがカギになるでしょう。
結婚式場の売上を上げるには	C	景気動向や晩婚(非婚)化といったマクロ要因が、婚礼件数や式の嗜好に影響を与えます。
学習塾の生徒数を増やすには（以下、人数増加問題15問）	A	まずは、学習塾の対象学生、目的(受験準備・補習など)、科目、開講期間など、前提を設定する必要があります。
水泳教室の生徒数を増やすには	A	現在は小学生の習い事がメインのようですが、ターゲット層を広げられないでしょうか?
映画館の観客数を増やすには	A	テレビ・ネット・DVDの普及、余暇の多様化、ヒット作の欠如などから、興行収入は伸び悩んでいるようです。
劇団四季の観客数を増やすには	B	固定ファンは一定層いるはずですので、新規開拓がカギになりそうです。
東京ドームのナイターの観客数を増やすには	C	Case2の相撲同様、TVで見られる野球をわざわざ足を運んで観に来るIncentiveが必要です。
大学の受験者数を増やすには	B	4Pのフレームワークを使ってみると、わかりやすいかもしれません。
コンビニの客数を増やすには	B	立地やフロア面積は動かせないとすれば、1店舗でできる打ち手にはどのようなものがあるでしょうか?
神社の参拝者数を増やすには	C	初詣以外で、神社に来るためのIncentiveを作れないでしょうか?
不動産屋の利用者数を増やすには	A	ネットの住宅情報サイトにはない、リアルの不動産屋の強みは何でしょうか?

結婚相談所の利用者数を増やすには	B	4Pで考えると、Productは相談所のシステム（Hard面）と異性の登録者（Soft面）に分けられます。
レンタカーの利用者数を増やすには	C	駐車場料金の節減のため、レンタカーを利用する法人顧客が増えているようです。
ネットカフェの利用者数を増やすには	B	深夜には終電を逃した人の宿代わりとしても機能しています。
コインランドリーの利用者数を増やすには	B	セルフサービスが、節約志向の主婦や働く女性に受けて、店舗数は10年前の約1.4倍になっているそうです。
コインロッカーの利用者数を増やすには	C	コインロッカーを使う場面を想像してみてください。競合や代替サービスはあるでしょうか。
証明写真機の利用者数を増やすには	C	入学・入社に伴う諸手続きのため、3・4月ごろに利用が集中していると思われます。

マクロ系　30問
主に市場規模の増加という「マクロ」な視点での問題解決です。

オートバイの市場規模を増やすには （以下、市場規模増加問題15問）	C	縮小が続く国内市場で、値下げに頼らない策は考えられるでしょうか。
バナナの市場規模を増やすには	B	「バナナダイエット」のようなブームの恩恵は長続きしないようです。
ガムの市場規模を増やすには	B	おやつ用、眠気覚まし用、口直しのエチケット用など、さまざまなニーズがあるようです。
缶コーヒーの市場規模を増やすには	A	4Pのフレームワークと相性がよいです。とくに流通経路（Place）はさまざまでしょう。
東京の宅配ピザの市場規模を増やすには	B	単身者向けピザメニューやパーティー向けのケータリングなど、新たな方向性が望まれるでしょう。
ランニングマシンの市場規模を増やすには	B	現在のランニングブームをマシン購入につなげるには何が必要でしょうか。
ビジネス書の市場規模を増やすには	A	急成長する電子書籍やオーディオブックと親和性はあるでしょうか。
メガネの市場規模を増やすには	C	コンタクトやレーシック手術といった代替品とのシェア争いがあります。
コンタクトレンズの市場規模を増やすには	B	メガネやレーシック手術とのシェア争いを乗り越える方法を考えてください。
ドラッグストアの市場規模を増やすには	A	法改正によりインターネットで購入できる薬剤の種類はかなり絞られています。
ゲームセンターの市場規模を増やすには	B	家庭用ゲームが普及する中、ゲーセンを選ぶ理由とは何でしょうか？
スキー場の市場規模を増やすには	B	Case3 スキーの議論をS高原ではなく、全国レベルに拡張してみましょう。
『週刊少年ジャンプ』の総売上を増やすには	B	「友情」「努力」「勝利」を編集方針として、小中高生をターゲットとした老舗マンガ雑誌です。
ディズニーランドの総売上を増やすには	B	入場料以外にも、飲食、グッズ、ホテル、劇場などさまざまな収益源があります。
京都の観光業総売上を増やすには	C	まずは、観光業のビジネスをきちんと定義してください。
日本人の海外旅行者数を増やすには （以下、人数増加問題15問）	A	外的要因としては、景気動向、為替、原油価格、治安動向などに左右されます。
ケニアの日本人観光客を増やすには	C	旅行者には単独の国のみを訪れる人と、周辺国と併せて訪問する人がいます。
自民党員数を増やすには	B	年4000円の党費を払えば加入できます。AIDMAのフレームワークを使ってみましょう。
阪神ファンの数を増やすには	B	Project2のチェス同様、観戦頻度などで「阪神ファン」を定義しましょう。
自衛隊への入隊希望者を増やすには	C	Case6のテニサー同様、きちんと自衛隊にふさわしい志願者の質を確保したいところです。
漢字検定の受験者数を増やすには	B	漢検協会の不祥事で激減した受験者を増やすにはてこ入れが必要です。
年賀状の売上枚数を増やすには	B	人間関係の希薄化、メールによる代替など、さまざまな減少原因が考えられます。
大学生にワインを流行らせるには	C	ワイン消費量の増加を目指すとして、4Pで分析してみましょう。

七味唐辛子の消費量を増やすには	C	単体で消費されることはないので、何と一緒に使われているか考える必要があります。
コメの消費量を増やすには	B	家庭以外のBtoBの需要も忘れないでください。パンやピザ用の米粉にも加工されます。
シニア海外ボランティアの参加者数を増やすには	B	AIDMAのフレームワークで綺麗に切れるかもしれません。
YouTubeの動画投稿数を増やすには	B	ざっくり、個人によるプライベート動画と法人によるプロモーション動画に分けられます。
Amazonの年間書評投稿数を増やすには	A	現在はAmazonのアカウントを持つ人が無報酬で投稿しています。
mixiの日記投稿数を増やすには	B	Facebookやtwitterなどの競合メディアに押されているようです。また、日記を書く上での障害は何でしょうか。
iTunesの音楽ダウンロード(DL)数を増やすには	A	「iTunes登録者×DL利用頻度×1人あたりDL数」のように定式化できます。

みんなのため×Public 60問

公共政策　40問

以下、問題が発生するエリアのスケールに応じて、都市問題・全国問題（日本）・国際問題（世界）と分けてみました。

【都市問題】15問

阪神優勝による道頓堀ダイブを防ぐには	A	ダイブを自発的に思いとどまらせる方法と、強制的に不可能にする方法（防止ネットを張る）の両方があります。
成人式での若者の暴走を防ぐには	B	成人式を行わない、というラディカルな方法もあります。
暴走族の暴走を防ぐには	A	暴走の欲求を抑える方法と、欲求にもとづく実行を不可能にする方法があります。
飲み会の一気飲みを根絶するには	B	東京で急性アルコール中毒で搬送される人は、年間約1万1000人にも上るようです。
違法駐車を減らすには	A	Case5の「万引き」が参考になるかもしれません。
飲酒運転を撲滅するには	A	Case4の交通事故を類推してみてください。対ドライバー以外でもできることがありそうです。
痴漢を減らすには	B	女性専用車両の導入よりも、優れた打ち手はないでしょうか。
鉄道の人身事故を減らすには	C	依頼者が鉄道会社か行政かで、可能な打ち手の範囲は変化します。
道路の渋滞を緩和するには	A	考え方が、「通勤ラッシュ」の解決に近いです。
「開かずの踏切」問題を解決するには	A	踏切の横断を便利にする方法と、踏切横断の必要をなくす方法があります。
東京都のハトを減らすには	B	Project5のカラスの類推が効きます。
ホームレスを減らすには	C	どのようなホームレスをターゲットにするか考えてみましょう。
ゴミの排出量を減らすには	C	家庭ゴミと法人による廃棄物に分けて、議論するとよいでしょう。
繁華街の治安を向上させるには	B	ネットカフェ規制という警察の治安対策に対して、反対デモが起きているようです。
都市の地震対策は	C	地震の発生自体を抑制するのは難しいので、発生による被害の最小化が課題となります。

【全国問題】15問

廃棄される食糧を減らすには	B	国内生産量＋海外輸入量と消費量がミスマッチを起こしている状況です。
電車のマナーをよくするには	C	マナー意識は年代によってかなり格差があります。底上げが求められます。
いじめを減らすには	C	学校だけでなく、職場にもいじめは存在します。それぞれについて、考えてみてください。
性犯罪を減らすには	B	一般に再犯率が高いという通説がありますが、統計的に否定する説もあるようです。

自殺者を減らすには	C	年間約3万3000人もの人が自ら命を断っています。自殺にいたるまでのプロセスを考えましょう。
投票率を上げるには	B	オーストラリアなどでは投票を義務化し、違反者に罰金を科しています。
少子化を防ぐには	A	移民政策を許容するか、などの前提を確認してから分析に入ります。
外国人観光客を増やすには	B	Case3のスキーと同様、4Pのフレームワークが活きます。
日本のノーベル賞受賞者を増やすには	C	各部門に共通して打てる打ち手と、各賞に対応した打ち手の2種類があります。
日本人横綱を誕生させるには	A	日本人力士を横綱レベルに強くするか、現状のまま、横綱に昇格させることが考えられます。
日本のサッカーを強くするには	B	サッカーの勝敗を決める要因を地図化してみましょう。
蝶ネクタイを流行らせるには	C	かなりムチャぶりかもしれませんが、まずは蝶ネクタイをつけるシチュエーションを考えてみましょう。
起業家を増やすには	B	日本人が職業選択に際し、概してリスク回避的なのは、国民性の問題なのでしょうか？
高校生に海外大学を受験させるには	B	そもそも海外の大学に行くという選択肢を意識しない人が多いと思われます。
大学生に危機感をもたせるには	C	「危機感」の定義と、その具体的指標の設定が必要となります。

【国際問題】10問

外国人の不法滞在を減らすには	B	Project9のダイエットと同様に「フロー・ストック」で考えられます。
麻薬の密輸を防ぐには	A	密輸の摘発率の向上と、厳罰化により密輸のDisincentiveの確率とサイズを拡大できます。
時計の偽造品を撲滅するには	C	Project5のカラスに似て、偽造品製造への「直接」的な対処と「間接」的な抑制の2つのアプローチがあります。
ゴリラの絶滅を防ぐには	B	「死亡数＞誕生数」の状況が続くかぎり、絶滅は避けられません。
マラリア感染者を減らすには	A	マラリアは蚊を媒介とする伝染病です。Project4の花粉症と似たアプローチができます。
地球温暖化を防ぐには	C	諸説あるようですが、簡単のため、CO_2等の温室効果ガスの排出が原因とするとよいでしょう。
石油資源を確保するには	C	輸入先としてふさわしい国の条件は何でしょうか？
外国からのミサイル攻撃を阻止するには	C	国レベルですが、Case5の万引きのIncentive/Disincentiveが応用できそうです。
日本へのテロを阻止するには	B	テロの定義の再確認から入るといいでしょう。
貧困問題を解決するには	C	人類の一大課題ですが、使える範囲のフレームワークでチャレンジしてみましょう。

運営戦略　20問

NPO、学校、サークルなど、さまざまコミュニティの問題にも同様の考え方でチャレンジしてみましょう。

サークルの掲示板を活性化させるには	B	「活性化」の定義は投稿数増か、PV数増か、それ以外か。定義が必要です。
音楽サークルのコンサートの来場者を増やすには	A	Project3のホノルル同様、AIDMAのフレームワークを使ってみましょう。
高校生の学力を上げるには	C	文科省や高校のクラスの担任など、自由にポジションを決めて議論できるでしょう。
大学生の遅刻を減らすには	A	大学教授や職員になったつもりで、マジメに考えてみてください。
大学が寄付金を集めるには	B	「法人」と「個人」の寄付がありますが、もはや企業頼みではうまくいかないようです。
文武両道の人間を1週間で100人集めるには	C	まずはなぜ「集める」のかを勝手に推測して、問題に枠をはめる必要があります。
早朝ラジオ体操の参加者を増やすには	A	参加者層を広げるか、参加頻度を上げるか、です。
ゴミ拾いボランティアへの参加者を増やすには	B	給料を払うのは「ボランティア」の定義から逸脱します。

町内会への加入者を増やすには	B	町内会に入るIncentive/Disincentiveは何でしょうか。
ボーイスカウトのメンバーを増やすには	A	奉仕活動やキャンプなどを通した、青少年の社会教育を行う団体です。日本では知名度が小さそうです。
青年海外協力隊への参加者を増やすには	A	15年前に比べて応募者は約3分の1になってしまいました。AIDMAを使ってみましょう。
花火大会の来場者を増やすには	B	想定する花火大会の規模により、打ち手が変わってきます。
夏祭りの来場者を増やすには	B	地元の夏祭りを想像してみてください。夏祭り特有の魅力はなんでしょうか。
大学の文化祭の来場者を増やすには	B	文化祭は大学にとっても絶好のプロモーションの機会です。学生と大学が協働できそうです。
小学校の運動会の来場者を増やすには	C	誰が来てもいいようにオープンにすると、安全面で問題が生じます。
忘年会への参加者を増やすには	B	誘う人を増やす(「打席数」)か、誘った人の参加率(「打率」)を上げるか、2つの視点を持ちましょう。
Wikipediaの執筆者を増やすには	C	ユーザー自体は決して少なくないようですが、執筆に至らない理由は何でしょうか。
地域の子供たちを犯罪から守るには	C	どのような犯罪から守るのか、を具体化して考えた方がうまく行きそうです。
近所の家の夜の騒音を止めさせるには	B	「自力」で解決するか、「他力」を借りるか、など打ち手を地図化しましょう。
地域の泥棒被害を減らすには	B	Case5の万引きと同様にまず被害額を地図化してみましょう。

自分のため 60問

On問題　30問
個人にまつわる問題解決として、「On」と「Off」のシチュエーションにザックリ分けてみました。

ビジネスパーソンに必要な力を体系化	C	さまざまなフレームワークで何通りかの「地図」作りを試してみてください。
プレゼンテーションの評価軸は	B	プレゼンが何を目的としているか考えつつ、加点・減点要素を考えましょう。
パソコンの評価軸は	B	目的に応じて、必要なPCのスペック条件は変わってきます。諸条件を地図化してみましょう。
英会話学校の選択軸は	A	サービス、価格、レッスン形式(グループ・マンツーマン)、レッスン媒体(リアル・ネット)など諸条件を地図化しましょう。
集中して仕事をするには	A	Case7の睡眠同様、「個人」と「環境」のフレームワークを使って考えてみましょう。
物忘れを減らすには	B	Case8のボウリングと同様のフレームワークを使うこともできます。
計算スピードを速くするには	A	計算の中でも、エクセル計算は身に付けるまで時間がかかりますが、複雑な計算を瞬時に行えます。
株式投資を学ぶには	B	まったくの素人が株式投資を始める場合のプロセスはどのようになるでしょうか?
ＴＯＥＩＣのスコアを上げるには	A	過去のテストの成績表をみるとボトルネックの特定に役に立ちます。
飲みニュケーションを減らすには	B	飲み会を波風立てず、お断りする方法にはどんなものがあるでしょうか。
お酒での失敗を減らすには	A	お酒を減らしたり、俗に言われるようにたくさん飲んで肝臓を鍛えること(?)だけが方法ではありません。地図化してみましょう。
遅刻を防ぐには	A	メンタリティーに起因する部分に関してはCase9ランニングが応用できそうです。
寝坊を防ぐには	A	Case7の睡眠効率の類推が効きそうです。
眠気を覚ますには	A	眠気の発生を睡眠をキチンととることで「予防」したり、コーヒーやガムを摂取して「対処」したりできます。
高校教師が生徒を寝させないようにするには	B	先生の立場から、生徒を寝させない方法を考えてみましょう。

勉強会を開催するには	B	勉強会の目的、メンバー、内容など、整合性が取れるように設計してみましょう。
セミナーでの質問数を増やすには	B	質問が盛り上がらないセミナーの要因は、講演者・聴衆・主催者の3方に求められます。
忘れ物・落し物を防ぐには	B	どんな場面で忘れ物・落し物が起こるかある程度予想できれば対策も打ちやすそうです。
電車の時間を有効に使うには	B	座れるか、立ったままか、混み具合はどうかなど場合分けをしてみてください。
通勤電車で座るには	C	これをテーマにした本があるほど実は奥が深いテーマのようですが、きちんと地図化してみてください。
仕事で会う初対面の人との会話で困らないには	C	Project7の英語と同様の「座学・素振り・実践」のフレームワークが使えます。
ブログのアクセス数を増やすには	B	トップクラスのアクセス数を誇るαブログの共通項は何でしょうか。
ティッシュ配りを効率的に行うには	A	時間あたりに配るティッシュの数を地図化してから始めましょう。
大学の試験で点を取るには	A	相対評価なら「他の学生の点数を下げる」という方法も論理的には考えられます。
うつ病を防ぐには	C	うつ病の原因となる理由をうまく地図化しましょう。
モチベーションを上げるには	C	Case9ランニングに似ています。一般的な方法論を地図化しておくと、汎用できて便利です。
肩こりを防ぐには	A	「予防・対処」のフレームワークが使えます。
視力の低下を解決するには	A	「個人・環境」(道具利用など)のフレームワークを使って考えてみましょう。
自宅で運動するには	A	自宅での運動の障害として、スペース不足や振動と騒音の発生が考えられます。
政治家になるには	C	政治家を志していると仮定して、夢実現までのプロセスを地図化してみましょう。

Off問題　30問

当然、「Off」のトピックにもケースの考え方は使えます。一部、「On」に分類されうるものもあります。

頭痛を防ぐには	A	「予防」と「対処」をうまく使い分けましょう。
野菜の摂取量を増やすには	A	Project9の減量のフレームワークを応用してみてください。
禁酒(禁煙)するには	B	方法論自体より、誘惑に負けない継続がカギの点で、Case9ランニングに似ています。
インフルエンザの防衛策は	A	Project4の花粉症と同様、インフルエンザ発症までのプロセスを考えてみましょう。
紫外線から身を守るには	B	皮膚がんなどの原因にもなる重大な問題です。プロセスを地図化してみましょう。
冬の防寒対策	A	シチュエーションによる場合分けが必要でしょう。
ディズニーランドで1日20本以上アトラクションに乗るには	A	一番人気のないアトラクションに20回乗るような野暮な打ち手は避けたいものです。
バレンタインのチョコ獲得数を2倍にするには	B	獲得数を地図化するところから入りましょう。自分で買うといった荒業はなしにしましょう。
彼女(彼氏)を作るには	C	自分という「商品」を異性という「顧客」に売り込む「営業活動」とみなして議論できます。
祖父母を喜ばすには	C	立場・年代的にも大きな価値観の差があるので喜ばせ方も工夫が必要です。
旦那・妻の機嫌をよくするには	C	Project6の献血同様、「物理・精神」「＋要因・－要因」で2×2の表が組めます。
娘と仲良くなるには	C	思春期の娘がいるつもりで解いてみましょう。上の問題と似たアプローチが取れます。
子供の言葉使いを直すには	B	プロセスで切ると、「汚い言葉を覚える」→「汚い言葉を使う」となります。

子供の身長を伸ばすには	B	身長を左右する要素をきちんと洗い出してからスタートしましょう。
C判定の高校生息子を志望校に合格させるには	B	学力を上げる方法、学力を上げないで合格させる方法の両方を考えましょう。
結婚式に人を呼ぶには	A	Case6のテニサーと同様、まずどんな人に来てほしいか考えましょう。
葬式に人を呼ぶには	A	同上。死亡後に立てる戦略よりも、生前時の言動がかなりのウエイトを占めそうです。
テニスが上達するには	A	Case8のボウリングの類推が活きます。
カラオケで活躍するには	B	「カラオケでの活躍」を定義した後、Project7英語のフレームワークが使えます。
車の運転が上達するには	B	目指すべきは、安全運転か、レーサー風のアグレッシブな運転か。前提をチェックしてから始めましょう。
写真映りをよくするには	B	「顔そのもの」の改善と「写真の撮られ方」の改善の両方が考えられます。
オシャレ度を上げるには	B	「オシャレ」をする目的は何でしょうか。On・Offのシチュエーションで、方法は大幅に変わります。
肌荒れを防ぐには	A	肌荒れ要因を除く「予防」と荒れた肌を改善する「対処」のフレームワークが活きます。
家事の負担を軽減するには	B	「自力」で作業を効率化する方法と、「他力」を使い外注する方法があります。
食費を抑えるには	A	「飲食の回数×1回あたりのコスト」と定式化して考えてみましょう。
引越しにおける住居の選択軸は	C	賃貸か持ち家か、一軒家か集合住宅か、など選択肢は多数あります。
マイカーの選択軸は	B	一般的に商品は「機能」と「デザイン」の軸で評価できます。
お歳暮の選択軸は	B	一般的に目的は相手を喜ばせ、関係を維持・改善することです。費用対効果で考えてみましょう。
カフェの選択軸は	B	さまざまな評価軸をMECEに地図化し、そのうちで何が重要か順位づけしましょう。
いい休日を過ごすには	A	「いい休日」とは何か、を定義するところから始めましょう。

その他の応用問題 30問

一般的な問題解決ケースから派生する応用問題をまとめてみました。

肯定・否定系 10問

肯定・否定に分かれるような論点が設定され、それに対する意見と根拠を述べるケースです。

小学校の英語教育を必修化すべきか	B	英語教育の必修化のために必要な資源についても考える必要があります。
高校に制服は必要か	A	現在制服がある学校とない学校を比較し、メリット・デメリットを考えるのもよいでしょう。
大学生に宿題は必要か	A	どのような宿題かにもよるので具体化して考えてみてください。
ルームシェアと一人暮らしはどちらがよいか	B	住む場所、捻出できる費用など個別のケースで解は違うことを意識しましょう。
NHKの教育番組は社会的に必要か	B	「社会的に必要」とは何か定義してください。
コンビニの24時間営業は社会的に必要か	B	上と同様です。24時間営業の社会的デメリットとは何でしょうか?
晩婚化はよいか	C	結婚適齢期の女性にとって「よい」ことと、社会的に「よい」ことは一致しないのかもしれません。
日本に移民を入れるのはよいか	C	経済的側面以外での、デメリット・リスクがありそうです。
社内運動会はやるべきか否か	B	最終的には、定義系・価値観系の「ドライな社風・ウエットな社風」に帰着されそうです。
世界共通通貨は導入すべきか	C	本格的な経済学の問題ですが、使える範囲のフレームワークで取り組んでみましょう。

アイデア系　10問
独創的なアイデアとそれを導くストーリーが求められています。

新幹線の中でできる新サービスは	C	数百人が数時間拘束されている新幹線という空間。ここでどんなサービスができるでしょうか？
今、株を買うとすればどこか	C	ロジックだけでは厳しいので、最近の時事にも最低限、通じておく必要があります。
今、M&Aすべき企業はどことどこか	C	買収元の企業を想定し、その企業にあった会社を選定しましょう。
今、国に投資するとすればどこか	C	独創性も問われますが、当然ある程度の基礎知識をいれておく必要があります。
ドラえもんの新キャラクターを投入するとしたら	C	まずは新キャラクター投入の目的を決める必要があります。
10年後のヒットビジネス書は	C	時代背景とヒットビジネス書の関連を見つけましょう。左脳と右脳の両輪が必要です。
渋谷を大人の街にするには	C	渋谷は「若者の街」として有名ですが、「大人の街」に変えることは可能でしょうか？
今、3億円もらったら何に使うか	C	直感で決めるだけでなく、きちんと優先づけの論理を立てて、資源配分を行いましょう。
明日から無人島に1カ月泊まるとしたら、バッグに何を詰めるか	B	無人島の環境を想定した上で、生存に不可欠ながら現地調達できないものが必要になるでしょうか。
今までで一番おもしろかったケース問題3つとその理由	B	一度解いたケースが、頭の中でストックできているかを確認する良問です。

原因分析系　5問
現実のさまざまな現象の因果関係を類推するケースです。

マンホールはなぜ丸いのか	B	有名問題ですが、アプローチは多くあるようです。
空気はなぜ透明か	C	『観想力』（三谷宏治著、東洋経済新報社）で有名になりました。
インドでプロスポーツが流行っていない原因は	C	途上国一般ではない、インド特有の原因はあるでしょうか？
コーヒーカップにはなぜソーサーがついているのか	C	コーヒーカップを使うシチュエーションを洗い出すと、意外にも多くの理由が考えられます。
「ヤクルトレディ」が残り、「牛乳おじさん」が消えた理由は	C	Case2でも登場した「ヤクルトレディ」は未だ健在ですが、「牛乳おじさん」はなぜいなくなったのでしょうか？

定義系・価値観系　5問
論理力のテストというよりも、候補者の価値観を確認しているようです。

成功とは何か	C	完全に個人の価値観の問題であるため、そう考えるようにいたったエピソードを語るのが重要かもしれません。
お金は好きか	C	金融系の企業で、候補者の適性を見るため、問われるようです。
ドライな社風とウェットな社風はどちらがいいか	C	個人のキャラクターやコミュニケーションの特性に依存すると思われます。
ワーク＆ライフバランスをどう取るか	C	将来の人生プランに密接に絡んだセンシティブな問いです。
愛とは何か	C	論理で切りこむと野暮になるような、この種の難しい問いも時に問われるようです。

著者紹介

東大ケーススタディ研究会
2008年6月に戦略コンサル志望者を中心に活動開始．フェルミ推定やビジネスケース等の幅広いケーススタディの研究，セミナー，および就活支援活動を行っている．

Twitter：https://twitter.com/todaicase

吉田 雅裕（よしだ まさひろ）
2010年，東京大学経済学部卒．研究会設立メンバー．

木本 篤茂（きもと あつしげ）
2010年現在，東京大学法学部に在籍中．研究会メンバー．

東大生が書いた　問題を解く力を鍛えるケース問題ノート

2010年9月30日　第1刷発行
2022年3月22日　第21刷発行

著者　東大ケーススタディ研究会
発行者　駒橋憲一

〒103-8345
発行所　東京都中央区日本橋本石町1-2-1　東洋経済新報社
電話　東洋経済コールセンター03(6386)1040

印刷・製本　東港出版印刷

本書のコピー，スキャン，デジタル化等の無断複製は，著作権法上での例外である私的利用を除き禁じられています．本書を代行業者等の第三者に依頼してコピー，スキャンやデジタル化することは，たとえ個人や家庭内での利用であっても一切認められておりません．
©2010〈検印省略〉落丁・乱丁本はお取替えいたします．
Printed in Japan　ISBN 978-4-492-55673-3　https://toyokeizai.net/

思考の「OS」を作る！　東洋経済のベストセラー

現役東大生が書いた
地頭を鍛える
フェルミ推定ノート

「6パターン、5ステップ」でどんな難問もスラスラ解ける！

東大ケーススタディ研究会　著　　定価(本体1450円＋税)

「日本に猫は何匹いるか？」
こんなくだらない質問が、日常生活、勉強、就活、ビジネスまで、
あらゆる場面で一生役立つ万能の脳力を養ってくれた──

東大生も感動した、
最高の思考トレーニング！

主要目次

- **PART1** ▶ 1000問解いてみてわかった！
  フェルミ推定6つのパターンと
  5つのステップ
  - chapter1 ▶ フェルミ推定の基本体系
  - chapter2 ▶ フェルミ推定の基本5ステップ
- **PART2** ▶ 6＋1パターン15問のコア問題で、
  地頭を効率的に鍛える！
- **練習問題** ▶ ＋15問でワンランク上の地頭を作る！

地頭力を鍛える
問題解決に活かす「フェルミ推定」

細谷功 著　定価(本体1600円+税)

累計16万部のベストセラー!
「結論」から、「全体」から、
「単純」に考える思考力を鍛えよう!

主要目次
- 第1章 ▶ 「地頭力」とは何か
- 第2章 ▶ 「フェルミ推定」とは何か
- 第3章 ▶ フェルミ推定でどうやって地頭力を鍛えるか
- 第4章 ▶ フェルミ推定をビジネスにどう応用するか
- 第5章 ▶ 「結論から考える」仮説思考力
- 第6章 ▶ 「全体から考える」フレームワーク思考力
- 第7章 ▶ 「単純に考える」抽象化思考力
- 第8章 ▶ 地頭力のベース
- 第9章 ▶ さらに地頭力を鍛えるために

過去問で鍛える地頭力
外資系コンサルの面接試験問題

大石哲之 著　定価(本体1500円+税)

**問題と解説から、
現役コンサルタントの
思考プロセスが学べる!**

主要目次
- PART1 ▶ フェルミ推定系問題
- PART2 ▶ ビジネスケース系問題